JN078374

自由が丘画廊ものがたり

戦後前衛美術と画商・実川暢宏

金丸裕子
Kanamaru Yuko

平凡社

JIYU
GAOK
A
GALL
ERY

自由が丘画廊ものがたり

戦後前衛美術と画商・実川暢宏

自由が丘画廊ものがたり

戦後前衛美術と画商・実川暢宏―目次

プロローグ　李禹煥の画室にて

土砂降りの横浜横須賀道路を降りて鎌倉に入ると、空は一転して澄んだ青色に変わっていた。

車が止まったのは、帯のように細長い川に面した家だった。川に沿って竹林が連なっている。竹の葉が風にザワザワ揺れる音に混じって鳥の声が聞こえてくる。門から庭へと続く、白い玉砂利を敷き詰めた小路をザッザッと音をたてながら進む。同じ玉砂利で覆われた庭には、金属と石で対をなす彫刻が三つ、四つ。静寂な庭に見入っていると、この家の主人が軽快な足取りで駆けより出迎えてくれた。世界に三つの個人美術館のある現代美術の巨匠、李禹煥である。

我々が李のアトリエに訪れたのは二〇二〇年七月。韓国とフランスにも拠点を持ち、一年の半分以上を海外で過ごす李だが、この年は新型コロナウイルスの影響で日本に留まっていた。そのおかげで李に会うことができた。

穏やかな笑みを浮かべて出迎える李の精悍な佇まいに驚いてしまう。八〇代半ばとは、とても思えない。姿勢が良く、筋肉の動きもしなやかだ。現代美術の最先端にいる現役中の現役。颯爽としている。

「李さん、お久しぶりです。何年ぶりだろう」

李とは同世代の元画商、実川暢宏が挨拶をした。実川は、一九六八年から九八年まで、現代美術を扱う自由が丘画廊を経営し、まだ無名に近かった時代から李の作品を扱ってきた。

同行したアート・コレクターの下田賢司のくったくのなさに比べて、実川は少しはにかんでいるように思えたのは気のせいだろうか。

「よくいらっしゃいました。コロナのおかげでお会いできましたね」そう言いながら李は我々を家のなかへ招き入れた。

二階にある李の画室は、おおらかに整った空気が満ちていた。最初に目についたのは、壁に掲げられた哲学者・西田幾多郎の書幅である。力の抜けた無作為な筆で「山青花欲燃」と綴られている。

違う壁には手入れの行き届いた大小の筆が幾本もかけられている。一五〇号、二〇〇号という大判のキャンバスが置かれ、対面の壁一面に設けられた棚には夥しい数の本が並ぶ。棚の前の背の低いスツールの周辺にちりばめられた絵具たち。ここで深い思索をしながら制作がなされているのだろう。

画室の窓辺に置かれた李朝のものと思しき背の低いテーブルへと誘われた。視界に竹林が広がる。李自らが高麗茶碗に注いでくれる韓国緑茶の香りが芳しい。

「川をはさんで竹林がいいですね」と実川が会話の糸口をつくった。

「孟宗竹でしょう。生家の近くにも竹寺があって、ぼくは竹藪のなかで生まれて育ったような人間なんです。朝鮮戦争があって、まったく手入れをしなかったら枯れてしまいましたけど。実川さんと知り合ったのは、何がきっかけだったのか」

「李さんが世田谷にお住まいだった頃ですね。一九七〇年頃だったかしら」

「祖師ヶ谷大蔵に住んでいて、山口長男先生ともよくお会いしている時期だった。実川さんは、山口先生ともお付き合いが長いのでその関係だったのか」

「ぼくの記憶では、李さんとは南画廊で最初にお会いした気がしています」

「そう、南画廊だ。一九六八年、六九年くらいからぼくは、南画廊に出入りするようになっていたんです。画廊主の志水楠男さんから日本の画壇についてのお話をよく伺いました。山口先生とも南画廊で知り合ったのですが、山口先生は、ぼくが最も早い段階に出会った有名な作家でした」

二〇一一年にニューヨークのグッゲンハイム美術館で開催された「李禹煥：MARKING INFINITY」展に始まり、一四年にはヴェルサイユ宮殿で、一九年にポンピドゥー・センター・メスなどで個展を開くなど世界を舞台に活躍する李禹煥だが、一九六〇年代の後半には、現代美術家として頭角を現し始めた時期だった。

初期の代表作の一つといえるのは、一九六八年に東京国立近代美術館で開催された韓国現代絵画展に出品された《風景》と題された三点組の作品である。韓国現代絵画展は、日本と韓国の国交正常化の後、美術館における韓国現代美術の本邦初紹介となった展覧会で、キュレーターであった李世得の人選により、李は郭仁植とともに日本在住の作家として出品したのだった。三〇〇号の巨大なキャンバスにピンク、レッド、オレンジと微妙に色を変えた蛍光塗料を塗ったもので、展示をすると強烈な色が天井や床に反射して、部屋そのものをショッキングな色に染める作品だった。

ちなみに二〇二二年八月十日から十一月七日まで、国立新美術館が開館十五年を記念して、李禹煥の大回顧展を開催した。その展覧会冒頭でこの三連作の二〇一五年再制作作品が、李の初期代表作として展示されていた。

読者のなかには、李禹煥のことはもちろん知っているが、自由が丘画廊のことも画廊主である実川暢宏の名前も知らないという人は少なくないだろう。そしてなぜ我々が実川と共に李を訪ねたのか不思議に思う人もいることだろう。

美術館でのグループ展への出品や、シロタ画廊や東京画廊での個展をとおして果敢に作品を発表していた李だが、広く一般に知られるまでにはなっていなかった。その当時から実川は、李の作品に注目をし、情熱を込めて紹介したのである。

「同じ現代美術の画廊でも、南画廊や東京画廊の顧客は美術館であったり、大企業の社長であったりしました。それに比べて、自由が丘画廊は空気が非常に自由なんです。どういうわけか、実川さんがぼくのことを面白いと思ってくれたんです。実川さんは、美術を特別な人たちから一般の人たちへ広げる仲介役をやった。それは新しい走りでした」

李は実川についてそう語った。

「実川さんは戦後現代美術の生き字引ですよ」

知人からそう聞いて実川に会ったのは、李禹煥の画室を訪れる二年前、二〇一八年一二月の年末だった。初めて会ったその人は、もうずっと前からの知り合いのような雰囲気で迎えてくれた。小柄な老人で、白い短い髪に顎ひげをたくわえ、丸縁のメガネのなかの目もあたたかくほほ笑んでいた。

「ぼくの話で役に立つかしら」そう言いながらも、李禹煥や関根伸夫、山口長男、高松次郎といった現代美術の巨匠や、南画廊の志水楠男や東京画廊の山本孝、ツァイト・フォト・サロンの石原悦郎、評論家の東野芳明、写真家の安齊重男といった、現代美術を語る時に欠かせない人々の名前が次々に飛び出し、次に誰が出てくるのだろうという期待感を抱かせる。

実川は幼い頃から故郷の洋画家にかわいがられ、西洋の画集や美術雑誌をむさぼり読んで知識を蓄えてきた。持ち前の好奇心と人懐こさで、画廊を開く前から美術界の重要な人々と関係を育んできた。一九六八年に自由が丘画廊を開いてからは、まさに現代美術の現場で、画家、コレクター、評論家、画商仲間、美術館のキュレーターなどとの関係のなかで修羅を生き抜いてきた。実川はそれらの記憶をおもしろおかしく語ってくれるから、聞き手はぐいぐい引き込まれていく。

パーティなどでは、美術の森の語り部である実川の周りに人が集まり、思い出話に笑いながら耳を傾ける。今の現代美術の隆盛を草創期から支えた自由が丘画廊と実川について書き残したいと思った。

一九六八年に現代美術を扱う自由が丘画廊を開設し、一九九六年に閉廊した実川は、早すぎる男だったのか。

美術品市場は二〇〇〇年代に入ってから活況を呈しはじめ、二〇二一年の世界の美術品市場は八兆円規模に近づいたという。日本においても市場規模の拡大は続き、とりわけ現代美術の市場が活発化して若い富裕層を中心に売れている。

世界の美術動向でもうひとつ見逃せないのは、二〇一〇年代以降、欧米で戦後の日本美術が大きく注目されていることである。二〇一二年、ロサンジェルスのブラム・アンド・ポー・ギャラリーが「太陽へのレクイエム——もの派の芸術」展を開催。同年十一月から翌年二月にかけてニューヨークの近代美術館（MoMA）において開かれた「Tokyo 1955–1970 : A New Avant-Garde」では、前衛パフォーマンス集団を結成した赤瀬川原平、詩人で美術評論家の瀧口修造、現代音楽の武満徹、そして岡本太郎や横尾忠則などによる、絵画、彫刻、写真、グラフィックデザイン、実験映像など多種多様な作品三〇〇点が紹介された。さらに二〇一三年二月からはグッゲンハイム美術館が、「具体——素晴らしい遊び場」展で具体を取り上げた。これらをきっかけに、国内外で再評価の動きが起きている。もの派、具体という、実験的な前衛美術が世界の美術史のなかで重要なものとして位置付けられたのである。

「もの派を代表する作家である李さんは、世界の最先端にいる成功した作家になったわけですが、出会った頃とまったく変わらない。相変わらず理論派で作品に向き合い続けているところも、ぼくらに対する態度も以前のまま。いや、昔はもっととんがっていたから、すこしだけ人間が丸くなったけどね。ぼくも自由が丘画廊で扱った作品を持ち堪えていたら、今頃、巨万の富を築けていたのかもしれない。でも買った絵が思いのほか値上がりする喜びは、画商ではなくて、コレクターが味わえばいいこと。ぼくらの時代、現代美術は売れなかったけれど、おもしろいことばかりでした。渦中にいてそのことを体験できて幸せでしたよ」

そうあっけらかんと言ってのける実川から、画家のこと、画商のこと、コレクターのことなど、表舞台にはなかなか登場しない日本の戦後前衛美術史の一面を聞いていきたい。

I

伊豆に疎開していたピカソの絵

幻の画商

映画はしばしば、消えてしまった風景を見せてくれる。川島雄三監督が、井上友一郎の小説を原作に手掛けた「銀座二十四帖」には、一九五五年の銀座の街や風俗が輝きをもって登場する。敗戦から抜け出して成長に向かう華やかな銀座を象徴する舞台として、バーやナイトクラブ、純喫茶、フローリストなどと共に画廊が描かれているのだ。そして、「文化国家日本には画廊は全部で十六軒、そのうち十三軒がわが銀座にあるのです」と、まことしやかに森繁久彌のナレーションで語らせている。

一九五五年の日本にあった画廊の数が十六軒で、そのうち大半が銀座にあったというナレーションの真偽は定かでないが、一九六〇年代から一九八〇年代くらいまでは、画廊めぐりをするなら銀座というイメージがあった。

けれども一九六八年、実川暢宏が開いた自由が丘画廊は、その名のとおり目黒区の自由が丘にあった。自由が丘は戦前から「山手の銀座」とも「リトル銀座」とも呼ばれ、しゃれた雰囲気はあったものの、銀座で画廊めぐりをする人が足を延ばすのにはいささか距離がある。ほとんどの美術愛好家からすれば「離れ小島」にできた画廊という印象だっただろう。

画廊を設立した時、画廊主の実川暢宏は三一歳の青年だった。老舗画廊や名のある画廊で修業をしたわけではない、つまり、後ろ盾のない「新参者」である。「今日から画商になりましたと言っても、可愛がってくれたのは南画廊の志水楠男さんだけだった」と実川が言うように、多くの先輩画商からはそっぽを向かれてのスタートだった。けれども実川は自分で「絵気狂い」というほどで、絵に関する知識と情報、良い作品を選ぶ動物的勘、そしてある種の図太さと自信を持ち合わせていた。

何より、扱う画家が異彩を放っていた。山口長男、李禹煥、駒井哲郎、オノサト・トシノブ、関根伸夫、セルジュ・ポリアコフ、ニコラ・ド・スタール、フランク・ステラ、ルチオ・フォンタナなど、国内外の最先端の現代美術家をいち早く取り上げた。いずれもわかりやすい具象画家ではなく、国内で買う人はまだ限られていた抽象画家だった。保守的な美術愛好家からは、どこがいいのかわからないという声も聞かれた。しかし、実川は自分の眼を信じて作家の才能を見出し、コレクターとの橋渡し役を務めてきた。

実川は、ユーモアがあって話術にも長けている。年齢や職業で人を区別せず、美術については相手が誰でも本音で話すし、議論も厭わない。画廊には美術好きがいつまでも話していたい雰囲気が漂い、ふらりと立ち寄る人は多かった。

現代美術家の関根伸夫が、埼玉県立近代美術館で開催された「版画の景色——現代版画センターの軌跡」の図録に寄せたアンケートで実川について書いている。

私が環境美術研究所を始めたのは1973年、自由が丘駅に近い粗雑な倉庫風な建物

35歳の実川。「セルジュ・ポリアコフ展」を開催した1972年の自由が丘画廊にて　写真提供＝実川暢宏

だった。始めたにも拘らず仕事が有るわけもなく、毎日のように一度はやはり近くにあった自由が丘画廊に行って、オーナーの実川さんとお喋りするのが日課になっていた。彼は不思議なほど、何処で学んだか解らないが博識であり、彼なりの独自の価値観を有していた。たとえ一つの事象であってもいろいろな角度から検討すると、予想外の面白みを有している…そんな思考法が彼の得意技であった。しかも誰彼無く集まった人たちに話題を提供し、質問を繰り返したから、彼の画廊には必ず面白がる幾人かの人たちがたむろしていた。

そんな中に最近「版画センター」を始めたという綿貫不二夫という長身で物事の判断が素早そうな早口で捲し立てる男が居た。実川さんは「最近版画センターを始めた綿貫君だ。セキネさんも何か協力してあげてください」と言ったきり後ろを向いてしまった。

「アンケート：現代版画センターについて　関根伸夫氏」『版画の景色――現代版画センターの軌跡』埼玉県立近代美術館、二〇一八年

非凡な存在感を示し、一九八〇年には銀座にも自由が丘画廊を設立した実川は、しかしながら、二〇〇〇年を前に業界から忽然と姿を消してしまう。

今回取材をするなかで、かつて交流があった人に会って実川の名前を告げると、逆に「今はどうしていらっしゃいますか？」と尋ねられ、なかには「実川さんはお亡くなりになった

とお聞きしましたよ」と言う人さえいて驚くことが一度や二度ではなかった。

実川は幻なのか、いや、そんなはずはない。二〇二三年四月で八六歳になった実川は今、目の前にいる。どんな問いにも情熱を持って答えてくれる。美術についての博学も記憶力も、そして周囲を巻き込む会話力も衰えぬままで、語りに語る。感心していると、「ぼくは美術で遊んできたんだから、ぼくの話なんて、真剣に捉えなくていいよ」と冗談めかす。画商になるまで何をしていたのか聞いても、「ふーらり、ふーらり、風来坊さ」と飄々と答えたりする。

画商は虚業だ。けれども自由が丘画廊も実川暢宏も確かに存在していた。しかしどうやら、八六歳の実川には、美術について語るのは楽しいし大切なことだけれど、自身は幻のままでいいという不思議な想いがあるようなのだ。そうなると逆に気になってくる。無類の絵好きだった青年は、どのようにして画家や美術評論家、画商仲間から一目おかれる画商となったのだろうか。

伊豆韮山の地縁

実川の会話によく出てくる「澤田先生」から掘り起こせば、手がかりがあるかもしれない。「澤田先生」とは、彫刻家の澤田政廣である。偶然にも自由が丘画廊があった自由が丘駅正面口のロータリーには、澤田が一九六一年に制作した自由の女神像《あをそら》がある。戦争で焼け野原になった駅前を広場として復興させた地元商店街連合組合の人々が、街の住民から寄付を募って、仏像や古代神話にもとづく神像を数多く制作してきた澤田に依頼して完成させたのがこの彫像だった。

女神像《あをそら》は、可憐でありながらも力強く、誰にもどこにも寄りかからないというという芯の強さを伝えてくる。八頭身の女神の肢体は、その小さな顔とは対照的にしなやかで強靭な筋肉を感じさせる。肩からはえた細身の羽根は先端が地面に着くほどの長さをもち、助けを求める人がいればすぐに羽根を広げて駆けつけるのだろう。女神は凛とした立ち姿で前方をまっすぐに見つめ、この街を守っているようだ。

澤田と実川は、静岡県で最も古い公立高校、伊豆の国市にある韮山高校の同窓生である。同窓生といっても、澤田は実川より四三歳も上で、日本芸術院会員、日本彫塑会名誉会長という肩書をもつ。実川は、澤田に尊敬の念を抱きながらも臆することなく付き合い、澤田からとてもかわいがられた。

「澤田先生は熱海市出身で、旧韮山町（現在は伊豆の国市の一部）山木地区の民家に下宿をして旧制韮山中学（現・韮山高校）に通っていました。ぼくの家も山木地区にありましたから、何かと共通点があったのです。しかも高校時代のぼくは、澤田先生の甥の澤田禎二さんと仲良しでした。二人とも美術部で、禎二さんは美術部の部長。一緒に東京藝大を受けて、一緒に落っこちちゃった。そんな縁で知り合った澤田先生には、画商になってからものすごく世話になっています。ぼくのような若造の画廊なんかで展覧会をするような方じゃないのに、開廊直後に澤田先生の展覧会をやらせてくださり、その後、先生が亡くなるまで毎日のように遊びにいらっしゃいました。先生のお宅は田園調布で、散歩にいらっしゃるにはちょうど良い距離だったんです。年末のご挨拶に伺うと、必ず『年は越せるのか』と心配してくださいました。伊豆の人間らしい、鷹揚な方で、感謝してもしきれません」

実川と澤田を結びつけた韮山は、合併前の二〇〇〇年の時点で人口約一万九〇〇〇人という長閑な町だ。ところが少し調べると、歴史的に見過ごせないことがわかってくる。三島と修善寺を結ぶ伊豆急箱根鉄道駿豆線の韮山駅周辺は、新興住宅地と水田が入り混じる平野で、丘陵のある東方向に十分ほど歩いたあたりから歴史を感じさせる街並みへと変わっていく。緑に覆われた蛭ヶ島公園は、流罪になった源頼朝が滞在し北条政子と恋に落ちたという伝説が残るところ。丘陵の麓には戦国時代初期の武将・北条早雲が築いた韮山城。さらに進めば、幕末に日本を近代化に導いた韮山出身の偉人で、坦庵公と呼ばれて親しまれた江川英龍の代官屋敷で、国の重要文化財となった江川邸がある。

その江川邸の斜め前に実川の生家はあった。一九三七年、加山雄三やつげ義春、赤瀬川原平と同じ年の生まれである。実川という姓は婚姻後のもので、もとの名は増田暢宏。兄五人を持つ末っ子である。実川が生まれた一九三七年は、ピカソが《ゲルニカ》を制作した年でもある。

移住者だという父、増田金平は、駿府城近くの出身で、東京の浅草蔵前にあった東京高等工業学校（現在の東京工業大学）で技術を身につけ、韮山山木地区で土木建築の会社を興して成功していた。

「親父は自分の経歴をまったく語りませんでした。長兄から聞いた話だと、曾祖父は士族から警察官になったということでしたが、祖父はふざけた人間で、ある時女房子どもを置いてふいっと姿を消したらしい。のちに腹違いの子どもが現れて、祖父は岡山県のある家の婿に入っていたことが分かったんです。祖父の自由奔放なところが、若干だけれど隔世遺伝でぼくにもあるみたい」

韮山山木地区には、国の重要文化財に指定されている山木遺跡もある。この遺跡の発掘には実川の父が寄与している。

「ぼくが中学三年生だったから一九五〇年頃かな、おやじの会社が山木地区で河川工事をしていた時に、弥生時代後期の土器や生活用品が出てきたんです。作業員が土器を一つ掘ったらタバコ一つと交換するというやりかたで、親父は土器や壺を集めました。しばらくは家の倉庫にありましたよ。土器がまとまったところで町へ寄贈したんです。それが伊豆の国市郷土資料館に収蔵されています。親父も美術品に関心があったんですね。趣味で刀剣を蒐集していました。今から思うと、刀剣は抽象画に似ているんですよ。親父に反抗していたから刀剣に興味を持たなかったけど、ぼくも美しいとは思っていたんです」

柏木先生と旧福島コレクション

韮山には、実川が影響を受けた人物がいる。幼い頃から「柏木先生」と呼んで親しんだ洋画家の柏木俊一である。生まれたのは、日清戦争が始まった一八九四年。彫刻家の澤田政廣も同級生で、韮山中学時代からの友人だ。

「柏木家は、静岡県内でも有名な、名家の中でもとびきりの名家だった」と実川が話すように、柏木家は韮山代官の江川家を代々手代として支えてきた家柄だった。なかでも俊一の祖父にあたる柏木忠俊は幼い頃から坦庵公を傍で見て学んだ極めて優れた人物で、明治になってからは韮山県大参事、足柄県令を歴任し、韮山の人たちから一目置かれていた。

祖父のようになってほしいという母の願いも虚しく、俊一は絵描きに憧れて上京し、本郷洋画研究所に入会して東京美術学校を目指す。入試には失敗するものの、中川一政からの紹介で、岸田劉生、木村荘八、武者小路実篤という仲間に恵まれた。一九一六年には、中川ら仲間四人と一緒に雑誌「貧しき者」を出版し、神田神保町の文房堂などで販売している。梅原は「伊豆の景色を描きたい」という梅原龍三郎を俊一に引き合わせたのも中川である。梅原はたびたび伊豆に滞在し、そのたびに柏木は伊豆の景勝地を案内し、梅原の滞在先へも足を運んだ。

俊一が韮山に戻ってからも、彼の画室には東京の画家たちが集まった。

> 柏木が韮山に引込んでから私のほうから訪ねて行った。駅から長い一本道で江川邸へゆくと汗が出た。柏木の家は江川邸より高いところで石畳をふんでゆくのであった。
> この畑を切開いて画室をたてた。
> 富士山が一人じめでみられた。
>
> 中川一政「柏山人柏木俊一のこと」『柏木俊一展』佐野美術館、一九八八年

「富士山が一人じめでみられた」と中川一政に言わせた柏木邸は、江川邸から二〇〇メートルほど離れた小高い場所にある。

一九四四年七月一七日未明、沼津市は米軍機に襲撃される。七歳の実川がその大空襲の様子を眺めたのは、柏木邸のある高台だった。

戦局が悪化した頃、韮山でも食糧難ではあったものの、農村地帯だったために酷く飢えるほどではなかった。疎開してくる子どもが全校児童の一割を占めていたということからも安

全だったことがうかがえる。

　韮山には日本の美術史上無視することができないものまでが疎開している。日本の現代美術に大きな影響を与えたといわれる「旧福島コレクション」の一部が柏木の画室に疎開していたのだ。

「ぼくらの集落には、同じくらいの年齢の子どもがたくさんいました。二級上から一級下くらいまでみんな仲良しで、小学校から戻ると待ち合わせをして遊ぶの。丘にあった柏木家の広大な敷地に入り込んで、柿、山桃、無花果などをもいでは食べながら、かけっこをしたりね。仲間のなかに柏木先生の三男がいて、先生が不在のときには彼が画室の鍵を開けて絵を見せてくれるんです。ピカソの《アルルカン》や、ルオーの《青い鼻》（大原美術館収蔵）、同じくルオーの《キリスト裁判》、マティス、ユトリロ、ドランなどのミュージアムピースが壁に掛けてあったんです。信じられないでしょう。でも本当なんです。今は国立西洋美術館にあるスーティンの《狂女》はあまりにも怖くて目に焼き付いています。小学校三年から四年生だったから、戦争が終わって二、三年経った頃でしょう」

　この話には驚いた。当時の日本では、ヨーロッパの絵画は画集でみるのが当たり前だった。芸術に興味をもつ人たちがヨーロッパ絵画の実物を鑑賞することに長い間恋焦がれ、ほとんどの人が果たせずにいた時代に、韮山の一部の子どもたちは二〇世紀初頭にパリで活躍した巨匠たちの作品を眺めていたのだ。

旧福島コレクションは、のちに美術評論家、画商となる福島繁太郎がパリで過ごした一九二三年から三三年にかけて蒐集したもので、帰国した際には一〇〇点以上の絵画を携えていたという。福島は一九二一年に東大法学部を卒業し、新婚旅行のようなかたちで妻とヨーロッパへ向かう。夫妻ともに資産家の出で、育ちがよく才気に富んでいた。ロンドンで国際法を学ぶも、次第にアートに傾倒していく。パリに移ってからはバロン・フクシマと呼ばれて画家たちと交遊した。モネやマティスの自宅を訪問したり、画廊やモンパルナスのカフェなどで交流を深めたりするなかで、自分の眼で絵を選んでいったといわれている。一九二八年から数年間はパリで高級美術雑誌「フォルム」を自ら発行して新人発掘にもつとめた。旧福島コレクションは、古いところではコロー、セザンヌ、モネ、ルノワールもあるが、広くエコール・ド・パリの画家たちに及んでいる。そのなかでも中心をなしたのは、ピカソ、マティス、ルオーだった。

「それまでの日本における西洋近代画コレクションがせいぜい後期印象派までであったのに対して、総称してエコール・ド・パリという、パリに於いてすら、これらの画家連中と直接に接していないと理解できないような、当時の前衛の蒐集に力を注ぎ、それを日本へ持ってきたところに福島コレクションの意義はある」という内容を、美術史家の矢代幸雄は『藝術のパトロン』（中公文庫、二〇一九年）に記している。

福島は一九三四年に帰国した際、二月二日から十一日間、日本劇場の五階大ホールで国画展主催の「福島コレクション展」を開催した。

2月、もち帰ったコレクション中36点を日劇（現・有楽町マリオン）5階ホールで展示する。ドラン12点、ルオー9点、マティス、ピカソ各5点、ユトリロ2点、モディリアニ、ブラック、スーティン各1点の内訳で、会期は2月2日から11日まで、国画会の主催だった。

『戦後洋画と福島繁太郎―昭和美術の一側面―』山口県立美術館、一九九一年

いったいどういう経緯で旧福島コレクションの一部が、柏木の画室に疎開することになったのだろう。キーマンは梅原龍三郎である。柏木は、梅原が参加する国画会に入り、一九二六年の第一回から第三四回まで毎年欠かさず出展している。福島繁太郎もまた、梅原の強い要請を受けて国画会の理事となり、一九三四年には審査にも関わっている。こうした縁から、戦争が激化するなかで旧福島コレクションの一部が、国画会会員だった俊一に預けられたわけである。ちなみに、旧福島コレクションは、福島とはパリ以来の親友だった小田原在住の洋画家益田義信のもとにも預けられた。

旧福島コレクションは俊一にどのような影響を与えたのか、佐野美術館学芸員である井上尚子の文章に詳しい。

当時の俊一のアトリエの壁面には、ピカソ・ルオー・ドラン・ユトリロ・スーチンなど巨匠の作品が掛けられており、見る者ばかりか、それまでアトリエにあった龍三郎や林倭衛の作品までも、圧倒していたと言う。後日、俊一にはこの時のことを「それらの絵を掛けておいたところ、頭を押さえつけられるようで、絵が描けなくなった」と話しているから、俊一にとっても、非常な重圧だったのであろう。それまで西洋の絵画を学び、油彩画を描こうとしていた俊一には、眼のあたりに見る、光線・油・形態・そして思想の異なる、まさに西洋人の洋画の持つ圧力は、あまりにも強すぎたのではないだろうか。

井上尚子「柏木俊一について」『柏木俊一展』佐野美術館、一九八八年

それほどまでの力を持つ、歴史に残る大作家たちの実物の絵画に幼少期に接したことは、実川の眼力の原点になったと言って間違いない。李禹煥の鎌倉の画室を尋ねた折に、李が「実川さんには芸術に対する動物的直感があった」と振り返っていた。

柏木の画室で力のある名画に接していたことで、いつの間にか養われたものは底知れず大きい。福島は一九四九年、東京銀座で「フォルム画廊」を開いている。福島と実川に直接の接点はないが、この画商の先達からも恩恵を受けているのだ。

画商への淡い憧れ

実川にとっての一九四五年八月十五日の記憶は、水中から見上げた青空で始まる。小学二年の夏休みで、もとは韮山城のお堀だった城池で仲間たちとのんきに水遊びをしていた。誰かの親が来て、昼前には全員で戻るように言い渡していった。集落の代表者の家に集まり、ムシロに座ってラジオから雑音ばかりの玉音放送を聞く。「終わった」と言う人がいれば、「負けた」という人もいた。何人かの大人は泣いていた。

「夏休みが終わりに近づいたある日、韮山にもジープに乗ったMP(米軍憲兵)が来て、小学校の校庭にあった奉安殿に向かって鉄砲をパンパンと撃っていったんです。戦時中には登校時と下校時に必ず、天皇皇后の御真影を収めた奉安殿に向かって最敬礼をすることになっていました。MPは黒人だった。黒人どころか外国人を見たのは初めてでした。小学校は教師不足で、旧制中学を卒業したての人が代用教員になり、左翼思想の人が多かったですね。世のなかがころっと変わって民主主義になったでしょう。子どもながらにそのことを感じて明るくなっていきましたが、すべてがひっくり返っちゃった感じでしたね」

同級生で遊び仲間の一人に康芳夫がいた。一九七三年の石原慎太郎を隊長とする「国際ネッシー探検隊」や一九七六年の「アントニオ猪木対モハメッド・アリ」のコーディネートなど奇想天外な仕事ぶりと、異形の風貌から「怪人」とも「虚人」とも呼ばれてきた伝説のプロデューサーである。

「康君は東京から疎開をして韮山小学校に通っていました。遊び仲間のボスで喧嘩相手。柏木邸にも一緒に行って、画室でピカソなんかを見せてもらっていました。東京では九段の暁星学園に行っていたそうで、入学の時に買ってもらったという暁星の制服を、韮山小学校の六年生まで着ていたんですよ。つんつるてんでおかしいから『芳夫、いい加減にその服をやめろよ』と言っても聞かない。ぼくらは同様に貧しかったこともあるけれど、康君には東京の名門校の児童だったというプライドもあったんじゃないかな。中学も一緒。彼は勉強なんかしなくても優秀で、学年で三番までには入っていましたね。うちの離れが子ども部屋になっていて、田舎には珍しく本がたくさんあって、悪童たちの溜まり場でした。康君はよくやってきて、かたっぱしから本を読んでいた。大学生の兄が買ってきた『チャタレイ夫人の恋人』を最初に読んだのも中学生の康君でした」

　実川は中学生のとき、教師から殴られたことがある。ふざけていた記憶はないのだが、英語と音楽の両方を教えていた教師から教室の前に出ろと言われ、何かで頭を何度か殴られ、頭から血を流して気を失った。

「この時、ぼくも含めて三人が殴られたんです。生意気だったのでしょう。でも、殴られた理由は今もわかりません。酷い暴力でした。三人のうちの一人は、のちに自殺しました。ぼくはそれ以来、英語の授業は怖くて下を向いたままだったし、音楽も耳に入らなくなった。

もう一人は康君なんだけど、彼は打たれ強かったのでしょう、気にしていないと話していました。お父さんは在日中国大使の医務官をしていた偉い先生で、戦後は重要戦犯として逮捕されて中国に連れていかれたんです。小学校から中学一、二年生の頃で、韮山に残されたお母さんと康君兄妹は苦労したはずなんだけど、彼はおくびにも出しませんでした。その教師の娘がぼくらの同級生で、ずいぶん経ってから娘を通じてぼく宛に教師から謝罪の手紙が届きました。でも、ぼくは許さない。未だに記憶が蘇って重苦しくなるもの」

戦争が終わってすぐの時期にはやたらに生徒をなぐる教師がいた。教科書の内容から指導の仕方まで正反対のものになり、教師もまた怒りや混乱を抱えていたのだろうか。殴られたほうにすれば人生に暗い影を植えつけられたことになる。実川は教育者そのものに不信を抱くようになってしまった。そして、教師と生徒、先輩と後輩、上司と部下といった縦社会が苦手になっていく。けれどもそれが、どんな時でも年齢や経歴に関係なく、フラットなつきあいを好む実川の個性を育んだと考えることもできる。

実川と同じように小学校時代に敗戦を体験し、社会の価値観が一変するのをみてきた世代には前衛美術家が多いのは偶然ではないだろう。李禹煥、高松次郎、赤瀬川原平、中西夏之などは、一九三五年から一九三七年のあいだに生まれている。実川も含めて彼らに共通しているのは、先行世代の言うことや世の中をそのまま信用しないという感覚だ。花や山をそのまま描くのではなく、根源を問い、しつこいほど思考しながら作品をつくる感覚である。

「柏木先生」との付き合いは高校生になってからも続いた。

「画室には岸田劉生が柏木先生をモデルにした彫像《男の首（柏木氏の像）》がありました。梅原龍三郎も柏木先生の肖像画を描いています。作品の中の柏木先生は厳つい顔をしているのですが、実際は優しく、上品で、ひょうきんなところもあって、何気なく絵の描き方を教えてくれました。画室にはフランス製の画集がたくさんありました。ピカソとルオーの画集が多かったですね。作家と作品の逸話も話してくださるので、中学生の頃には二〇歳のピカソが描いた青の時代についても知っていました」

高校でも図書館に入り浸って美術全集や美術雑誌を眺めて過ごした。一九四七年あたりから美術雑誌の復刊や創刊が続いた。「美術手帖」が一九四八年、「藝術新潮」が一九五〇年に創刊。他の雑誌と統合され別タイトルになっていた老舗美術総合誌「みづゑ」「アトリヱ」なども復刊した。

「韮山高校の図書館には、平凡社や河出書房が出した世界美術全集が三種類もあって、片っぱしから絵と解説文を読み込んでいきました。その影響もあって、一年生の頃は印象派やピカソ、マティスが好きでしたね。図書館の司書さんが親切にしてくれて、『美術手帖』と『藝術新潮』を毎月とってくれるようになったんです。載っていた図版を今でもはっきり覚えているくらい、ものすごく影響を受けている。フランスの画家、ジャン・アトランや山口長男という抽象画にも興味を抱くようになったのはこの頃です。画集や美術雑誌の図版で絵を見て興奮し、一人で盛り上がっていたんです」

美術にのめり込んで心を躍らせる実川だが、勉強には身が入らなかった。実川が通っていた韮山高校は、学者や政治家、実業家を輩出する伝統校だった。しかも五人の兄全員が韮山高校から早稲田大学へ進学した秀才ぞろいのなかで、実川は教師から「授業中にぼーっと空想してばかりいる」と叱られた。

「例えば幾何の時間には、外を眺めて校庭のカタチについて考えていたんです。真面目にやっているつもりでも、先生には遊んでいるように見えたんでしょうね。高校では兄たちを知っている先生も多くて、賢兄愚弟ってからかわれました。ぼくは気にしなかったけどね」

学業に加えて、実川にはもう一つもやもやさせられることがあった。父親が事業に失敗して無一文になったのだ。

「大学生だった兄もいて、両親は学費の工面に苦労したと思います。ぼくも学費や小遣いを稼ぐために、夏休みには土工のアルバイトをしました。友だちも一緒だったから楽しかったけどね。お袋という人が女傑でね、のちに自由が丘画廊のスタッフとなった竹内啓子さんから『人生で何がよかったですか』と尋ねられると、『それはうちが破産した日だよ』と答えたんです。竹内さんもあっけにとられていましたよ。親父の会社では大勢の職人が働き、家には居候もいたから、お袋は人を使ったり、お金の管理をしたりするのがたいへんだったんでしょう。破産して、かえってすっきりしたんでしょうね」

　そうしたなかで武者小路実篤の『湖畔の画商』（角川文庫、一九五二年）という本と出会った。

「柏木先生の関係だったのかな。武者小路が韮山高校で講演をしたことがあり、学校の図書館には武者小路の本が揃っていました。『湖畔の画商』はそのなかの一冊で、ノートに挟んで授業中に読み耽ったんです」

　一九三六年、武者小路は美術鑑賞の目的でヨーロッパを旅している。各地で美術館を訪ね、青年時代から憧れ続けた芸術作品の実物に触れ、パリではピカソらの芸術家にも会った。『湖畔の画商』はその旅行記として書かれたものだ。

「欧州のさまざまな街に美術館があって、ぼくらが美術全集の色付き図版でしか見たことのないような名画が、手の届くくらいの距離でみられるという話に驚きました。そして、美術館に展示されているのと同じくらい価値のある絵が、画廊という場所で売られているという話に夢中になったんです。今のように地方ごとに美術館があるなんて想像できない時代でした。ぼくは絵を描くことも好きだったけれど、画家を目指すほどじゃないとわかってくる。それでも絵に関わることをやっていきたいと漠然と考えていた時にこの本と出会い、画商っていいなとうっすら思い描くようになったのです」

II　一九五〇年代、岡本太郎がヒーローだった

岡本太郎のこと

目覚めるとすぐに冷たい水で顔を洗う。しゃっきりした気持ちで洗面所の窓を開けると、のびのびと裾を広げた富士山がいつものように見守ってくれていた。友人たちと自転車にまたがって江川邸の立派な表門の前を通り、北条早雲が築いた山城を抜けて高校へと向かう。歴史の宝庫ではあっても、一九五〇年代の韮山には映画館どころか本屋の一軒もない。実川が高校二年になった一九五三年にテレビ放送はスタートをしたものの、「テレビがある家なんて、韮山には一軒もなかったよ」という状態。それでも実川の仲間たちは好奇心が旺盛で、新しい情報を仕入れては互いに披露し合った。アメリカ文化に夢中になる人が多く、おどけてエディ・フィッシャーの「オー・マイ・パパ」を歌ったり、「ハートブレーク・ホテル」のプレスリーを真似て悪ぶったりする者もいた。実川も笑いながら一緒に過ごしていたが、音楽の教師に殴られたトラウマのせいで最初のフレーズだけで歌は聞こえなくなる。実川の関心がヨーロッパ、なかでもパリの美術に傾いていったのは、そのせいもあるのかもしれない。

夢中になって読んだ美術雑誌のなかで、とりわけ楽しみにしていたのは岡本太郎の芸術論やレポートだった。

「文章がすごく良いの。岡本太郎は戦前、パリの前衛の風のなかで活動した人で、戦後になってからは日本で作家活動と同時に文筆活動も精力的にやっていた。パリはこうだよ、最先端の前衛とはこうだよと熱く語り、興奮させてくれたのです。ちょうど『今日の芸術』が発売された頃で、夢中になって読みました。当時の岡本太郎は前衛美術界のヒーローだったんです」

実川と同世代の画家や文化人には、岡本太郎の発言に覚醒させられた、と書き記している人は多い。岡本が残した本のなかでもとりわけ有名なのは『今日の芸術』(光文社、一九五四年)だが、この本によって赤瀬川原平は「『前衛への道』をそそのかされた」と書き、美術評論家の中原佑介は「洗脳されたように感じた」と記録している。岡本太郎は、どのようにして前衛を志向する若い美術家たちを鼓舞する存在になっていったのだろうか。

そのことに興味をもって資料に当たっていくと、戦後の岡本太郎の活動を整理することは、戦後の日本現代美術史を知ることにもつながると気づいた。

パリ留学時代の岡本の足跡を見ると、時代のなかで重要なものを嗅ぎ分け、その真っ只中に入り込んでいく力に驚かされる。二一歳でピカソの作品と出会ったのをきっかけに抽象画を描き始め、国際的な抽象芸術運動のアプストラクシオン・クレアシオン協会に最年少メンバーとして参加。一九三七年には、サロン・デ・シュルアンデパンダンに《傷ましき腕》を出品。純粋抽象と決別してアプストラクシオン・クレアシオン協会を脱退した。一方で《傷ましき腕》はアンドレ・ブルトンによって高く評価され、翌年の第一回国際シュルレアリスト・パリ展に招待されることになる。これをきっかけに、マックス・エルンスト、アルベルト・ジャコメッティ、マン・レイ、イブ・タンギーらシュルレアリストとの親交を深めている。

一九三〇年代のパリで、抽象芸術運動とシュルレアリスムという二つの前衛芸術の最先端を岡本はリアルタイムで体験していたのだ。一方、哲学、民族学にも没頭していた。一九三八年、パリ大学で哲学を学んでいた岡本は民族学科に移籍し、レヴィ＝ストロースらとともにマルセル・モースに学び、一時は絵筆を折るほど研究にのめりこんでいた。この時の体験が岡本の芸術観を醸成したといわれている。

しかしながら戦争は人の行く手を阻む。ドイツ軍のパリ侵攻をきっかけに帰国した岡本は、一九四二年には日本兵として中国戦線へ出兵している。三一歳という高齢でしかも最下級の二等兵という扱いだった。戦後、中国での半年間に及ぶ捕虜生活を終えて引き揚げてくると、一気に芸術活動に邁進していく。再建された二科会に参加し、一九四八年には新会員に推挙されている。そして同じ年、作家で文芸評論家の花田清輝と意気投合して「夜の会」を立ち上げた。

夜の会は、焼け野原になった東京で前衛芸術運動を進めようという会で、花田が誘ったのは、野間宏、椎名麟三、梅崎春生、埴谷雄高、佐々木基一、中野秀人、小野十三郎、関根弘、安倍公房。岡本以外は、作家、評論家で、彼らの意見交換の場であり、それが公開形式で行われたことから聴衆との交感が生まれていった。

同じ年のうちに、単なる研究会に終わらない、創造活動につながる方向をめざす「アヴァンギャルド芸術研究会」が夜の会から派生する。若い作家たちが作品を持ち寄り、合評が行われた。池田龍雄、勅使河原宏、山口勝弘、福島秀子、北代省三といった若手の美術家、のちに美術評論家となる瀬木慎一らが岡本を慕って集まった。

岡本が、長年のパートナーとなる岡本敏子（当時は旧姓の平野）と出会ったのも「夜の会」だった。敏子は一九九九年のインタビューで当時を振り返っている。

あのころ岡本太郎さんと言えばもう時代のシンボルで男の子でも女の子でも若い人はみんな憧れていましたからね。シャープだし、威勢がいいし、今までの日本人には全然いなかった人間像でしょ。あちこちで芸術研究会とか講演会とか開かれていて人気者でした。（略）講演会に行っても今までの日本人が言わないような論理的で情熱的で鋭い論法でしょ。これは凄いと思っていたら私たちの仲間の一人が太郎さんの家に行くと言うので、みんなでついていったのよ。その上野毛の家に花田清輝さんがいらっしゃったのだけれども、そのころ太郎さんと花田清輝さんは「夜の会」というのを始めていて、「モナミ」というフランク・ロイド・ライトが建てたという、個人住宅をレストランにした場所で公開討論会をひらいたのよ。会費は紅茶一杯、埴谷雄高氏や野間宏氏、椎名麟三氏、安部公房氏なんて人たちが順番にレクチャーされるのよ。

「Book Club KAI News Letter」ブッククラブ回、一九九九年

敏子が話した通り、「夜の会」の会場となった東中野の「モナミ」は前衛芸術家の溜まり場だった。場所は現在の東中野駅西口前。敏子はフランク・ロイド・ライトの設計と言っているが、フランク・ロイド・ライトのチーフアシスタントを務めた遠藤新によるとの説もあり、明らかになっていない。現在の東中野からは想像できないが、東中野駅の北に位置する落合は、関東大震災後から第二次世界大戦前にかけて前衛芸術家たちが集うエリアだった。東中野駅前には「あざみ」という、ダダイストの詩人で作家の吉行エイスケが妻のあぐりと共に経営するカフェがあった。「あざみ」は大正時代に村上知義が主宰した前衛芸術グループ、マヴォの展覧会会場にもなったことがある。岡本太郎らが集った戦後の東中野には、そうした前衛芸術家たちの体温が残っていたのだろう。

再び、実川の言葉を聞こう。

「岡本太郎さんといえば、一九四九年に始まった読売アンデパンダンにも関係しているはずです。日本の戦後現代美術にとって読売アンデパンダンはものすごく重要。無審査、無償、

自由出品を原則にした美術展で、ここからスタートした現代美術の作家はすごく多い。読売アンデパンダンが単独で現代美術を引っ張るわけです」

読売アンデパンダンの創設を推進したのは、読売新聞文化部次長で、この新聞社の文化活動を主導してきた海藤日出男だった。海藤は、岡本とも近しく、岡本が協力をしていたことは間違いない。海藤は、一新聞社の次長であることにとどまらず、戦後の日本美術界における一種のプロデューサー役を果たし、革新を起こした重要な人物だった。岡本敏子によれば、空襲で失われた岡本の代表作《痛ましき腕》の再製作を熱心に勧めて実現したのは海藤だった（塚原史『荒川修作の軌跡と奇跡』ＮＴＴ出版、二〇〇九年）という。

読売アンデパンダンの初期には、岡本太郎、阿部展也、児島善三郎、向井潤吉、恩地孝四郎、鶴岡政男、海老原喜之助といった有名どころの出品が中心だった。彼らに混じって、出品リストをよくみると、北代省三や山口勝弘、池田龍雄、福島秀子などアヴァンギャルド芸術研究会の若い作家たちも出品している。岡本が彼らに声をかけたのである。さらに注目すべきは、一九五一年開催の第三回展で、岡本がマーク・ロスコやジャクソン・ポロックなど二七名のアメリカ人芸術家の出品を後押しして、海外の前衛の風を送り込んだことだ。そう、ロスコやポロックの作品を日本で最初に展示したのは、読売アンデパンダンだった。

読売アンデパンダンがスタートした一九四九年、実川はまだ小学六年生でその存在は知らなかったが、少年になり、美術に関心を持つようになると、読売アンデパンダンへの世間の注目度が高まるのを感じていた。

「あとになって知ったのですが、戦後に日本を占領したGHQが、日本の非軍事化と民主化を進めた影響もあって、日本の戦後美術界はものすごい勢いで動き出していきました。官展の流れをくむ日展、院展以外の在野団体も、一水会、二科会、春陽会、二紀会、国画会、美術文化協会、独立美術協会、行動美術協会、自由美術協会などがありました。なかでも当時、民間最大の公募団体として力を持っていたのは二科会でした。もともと二科会は、文展で冷遇されたやや前衛的な画家たちが結成した反・文展、反・帝展の在野の公募団体として大正時代に結成された経緯があるのですが、戦争が終わっていざ再開という段になって、とりわけ二科会の内部が崩れてく。戦後、民主主義の時代になっても、日展や二科といった従来の公募展はヒエラルキーが残っていたんです。党派が違えば落選するし、若い前衛志向の美術家たちは評価されない。これじゃ戦前と変わらないじゃないかという不満が吹き出すなかで読売アンパンが開催された。そんな経緯があるんです」

読売アンデパンダンについては、当事者だった赤瀬川原平が『反芸術アンパン』(ちくま文庫)において草創期から消滅するまでを俯瞰しながらも軽快に伝えている。そのなかに紹介された海藤日出男のコメントからは、海藤が当時、何をしようとしていたのかがよくわかる。

「最初のきっかけは、つまり……、日展とか、団体展とか、そういうものはもう、潰してしまおうという、気持があったわけです。そしてやっぱり、個展と、芸術運動を、軸に、やらなければならない。団体でうじゃうじゃやるのは、もう、そういう時代ではないと、それでぼくらは、もう、紙面を通じても、団体展潰しをやったわけです。それで個展を奨励した。それがやっぱり瀧口さんの考える、それと、同じ方向でもあったわけで、それをあらゆる機会にやっていこうと……」

『反芸術アンパン』ちくま文庫、一九九四年

これを読むと、海藤や瀧口修造らの話し合いのなかで、読売アンデパンダンは動き出したことがわかってくる。

海藤と瀧口の関係については、実川の画廊仲間の一人で、一九六八年から二〇〇三年まで銀座で画廊春秋を経営していた浅川邦夫からも話を聞くことができた。実川よりも五歳上の浅川は、一九五二年に福井県から上京して一九五六年に現代美術画廊の草分けである南画廊の開設と同時に入社している。そのことについては後で詳しく書き記すが、まずは海藤と瀧口についてである。

「読売の海藤さんと、読売アンパンの企画運営に携わった瀧口先生は、新宿区西落合の同じ敷地内に家を建てて住んでいました。美術雑誌の「みづゑ」や「三彩」の編集者だった太田三吉さんが所有する屋敷の敷地だったんですよ。太田さんは、『太田の三ちゃん』、『酔っ払

いの三ちゃん』とみんなから呼ばれるくらいの酒好きで、一〇〇〇坪ほどもあった土地は、酒で全部無くしちゃった。でも太田の三ちゃんはほんとうに美術人間で、『ぶち壊してでも人と違うものを見せて行かなくてはいけない』ということをよく言っていた。海藤さん、瀧口先生、そして太田の三ちゃんは、同じような方向で美術のことを考えていたんでしょうね」

さて、話を岡本太郎に戻そう。

一九五五年、岡本は二科会の常任運営委員に選出された。戦後の一九四七年に推挙されて会員になったばかりの岡本が、お歴々を差し置いて常任運営委員になる人事は異例中の異例だった。それほど岡本の人気と、若い作家を引き寄せる力は、二科会にとって脅威でありつつも、活用せざるを得ないものだったのだろう。

一九五五年に開催された二科展第四〇回展では、前衛的志向の作家を集める九室会が久しぶりに設けられることになった。二科会に改革をもたらす可能性が岡本によって生まれたのである。岡本は、従来からの出品者に海外からの参加者を加えて新たな九室会を組織した。ジャーナリズムから「太郎部屋」と呼ばれた九室会には、藤沢典明、芥川紗織、多賀谷伊徳、吉仲太造といった若手作家や、外国作家としてサム・フランシス、ピエール・アレシンスキー、ジャン・アトランという前衛の画家たちの作品が飾られた。

二科九室会は戦前からあったと実川は言う。

「前衛傾向の強い異分子の作品を一室に集めて展示していたんです。その部屋が第九室だったんですね。九室に出品していた作家を中心に九室会ができて、吉原治良、斎藤義重、伊藤久三郎、山口長男ら多くの前衛作家が名を連ねていました。東郷青児と藤田嗣治が顧問をつとめていたはずです」

一九五六年、東京・日本橋髙島屋を皮切りに大阪、京都、福岡を巡回した「世界・今日の美術展」（朝日新聞主催）も、岡本の人脈で実現した展覧会だった。イタリア、フランス、アメリカから四七名の作家の作品が紹介された。とりわけ注目を浴びたのが、フランスのジャン・フォートリエやジャン・デュビュッフェ、ジョルジュ・マチュー、アメリカのサム・フランシスの作品で、それらはアンフォルメル運動を推進していたフランスの評論家ミシェル・タピエの所蔵品だった。

アンフォルメル運動とは、第二次世界大戦後のフランスでミシェル・タピエが提唱した絵画理念のこと。本来アンフォルメル（非定型）なものである生命感を、強烈な激しい表現でストレートに描くという抽象芸術の動向だった。作者によるアクションの痕跡や鮮烈な色彩、素材そのものの生々しい物質感を強調したアンフォルメルの表現は、一瞬にして日本の美術家たちに衝撃を与えた。ちなみに同時期、アメリカではアクション・ペインティングが広がろうとしていた。

このミシェル・タピエの所蔵品については、岡本には別の思惑があった。一九五六年度の二科展「太郎部屋」でこれを主役に展示する予定だった。ところが二科会が強く拒否した。岡本太郎の勢力が広がることを恐れたためといわれている。そして、タピエの所蔵品は急遽、「世界・今日の美術展」に組み込まれることになった。

一九六〇年、岡本太郎は二科会を辞した。理由は、会長である東郷青児が日本芸術院会員になったことにある。二科会は、官展への出品を禁じる在野主義であるのにもかかわらず日本芸術院入りをした東郷と、そのことを容認する会を批判して退会に踏み切ったのだ。そして、「九室会」も消滅した。二科会の変質は旧来の前衛作家たちを失望させ、桂ゆき、吉原治良、山口長男、北川民次も去っていった。

戦後、岡本太郎はいつでもパリへ戻れたはずだ。そこには創造者としての順風満帆が待っていたかもしれない。けれども日本にとどまり、日本の現代美術を牽引し、権威的な画壇と戦い続けてきた。まるでそれが自分の仕事であると言わんばかりに。実川はそんな岡本太郎を、共感を持ってずっとみつめてきた。

「ぼくより少し上の世代では、作家を目指すといえばまず東京藝大へ行き、優等生的な絵を描いて、日本芸術院の会員になるというのが最高峰の生き方でした。戦後になって時代は変わっているのに、画壇は依然として縦割りで権威的だと、岡本太郎はいちゃもんをつけた。芸術は戦いだと言って若者たちを鼓舞したんです。アジテーターとして、そして、行動を通して本気にアヴァンギャルドを表現していた。まさしく前衛のリーダーでした」

鎌倉にできた日本初の近代美術館

一九五六年の春、藝大受験に失敗した十九歳の実川は友人の康芳夫と一緒に鎌倉の材木座海岸にいて、空想めいたことを話していた。康は東大に入る前に一年だけ横浜国大に在学している。鎌倉にあった横浜国大の寮に康を訪ね、海岸まで散歩に出たのだ。

「ぼくらは二人とも貧しい青二才で、労働せずに儲かる仕組みはないか海岸で話し合ったんです。彼は恐喝だと言い、ぼくは宗教だと言ったのかな。その後ふたりとも、農水産業や商工業のような実業の世界には行かず、虚業の世界に進むことになるんだからおもしろいね。ぼくらは共に空想の世界で遊ぶのが好きで、その頃から虚への指向があったんでしょうね。その時にぼくは康に横浜国大なんかやめて東大を受験しろと言ったんだけど、少しは勇気づけになったのかしら」

実川にはもうひとつ、鎌倉行きの目的があった。一九五一年に鎌倉八幡宮の敷地内に誕生した神奈川県立近代美術館を訪れることだった。それまで日本には、名前に「近代」と冠した公立美術館は存在していなかった。世界でもパリ、ニューヨークに続く三例目の近代美術館だった。

「一九五〇年六月に朝鮮戦争が始まると、日本は朝鮮特需でバブルみたいになる。それから日本の美術の世界は活発になっていったんです。それまで公立の美術館はほとんどなくて、本のなかでしか出会えなかったヨーロッパの近代絵画を直に見られる美術館ができた。そのわくわくした感じは今の人にはわからないでしょうね。急に絵画が身近になった気がしました」

一九五一年には、海外の美術を紹介する展覧会が国内でも開かれるようになる。二月に「サロン・ド・メ日本展」が開催されたのを皮切りに、戦前には稀だった西欧の現代美術作品の展示も盛んになっていく。同年三月に東京国立博物館表慶館で「アンリ・マチス展」、八月には東京高島屋において「ピカソ展」が開催され、二巨匠の作品がまとまって紹介された。

さらに、一九五二年、五三年と続くかたちで、東京国立博物館表慶館において「ブラック展」、「ルオー展」、一九五八年に「ゴッホ展」が開催されている。ちなみにこれらは読売新聞社の海藤日出男が推進したものだった。

中央と左右に青緑色のドーム屋根をもつ東京国立博物館表慶館は、大正天皇（当時皇太子）の成婚を記念して一九〇八年に竣工した奉献美術館だ。渋沢栄一や千家尊福（せんげたかとみ）らが中心になって設立した東宮御慶事奉祝会より献納された。設計をしたのは、イギリス人建築家ジョサイア・コンドルの弟子で、東宮御所（現在の迎賓館赤坂離宮）を手がけた片山東熊である。数回にわたる欧州研修で得た知識と経験を基に宮廷建築家として活躍した片山の代表作の一つ、壮麗なネオ・バロック様式の表慶館が、戦後の一九四七年、管轄が宮内省から文部省に移り、帝室博物館から国民のための博物館に変わったというのは時代を物語っている。当時、美術展を開ける美術館といえば表慶館くらいしかなかったのだ。

実川は一九五五年に表慶館で開催された「メキシコ展」をみている。美術雑誌の記事を読んでメキシコ美術への関心を募らせて美術展へ足を運んだ。

「シケイロス、タマヨといったメキシコの巨匠の絵があったのだけれど、何よりも桁違いのスケールにくらくらしちゃった。柏木先生のアトリエでみていたのは、大きくても二〇号でしょう。色彩もメキシコ特有でしたね。それまではピカソが最高に進んでいると思っていたけれど、もっとわけのわからないものがあったことに驚きました。メキシコでは一九二〇年代、メキシコ革命に賛同する画家たちによる壁画運動があったんです。ディエゴ・リベラ、ホセ・クレメンテ・オロスコ、ダビッド・アルファロ・シケイロスの三巨匠が有名ですよね」

この大規模なメキシコ美術展は、当時の美術家たちに大きな波紋を投げかけた。利根山光人や河原温はメキシコ展に衝撃を受けて、後にメキシコを訪問して新たな表現へと向かった。岡本太郎はメキシコでシケイロスの壁画に感動し、自らも巨大壁画を描いている。

一九五二年にはさらに二つの美術館が開館した。まずは一月、西洋近代絵画と日本洋画の蒐集で知られる石橋正二郎のコレクションを展示するブリヂストン美術館が東京駅からすぐの場所にオープン。十二月、北の丸公園に開館した東京国立近代美術館は、日本初の国立美術館で、明治から近現代の絵画を蒐集し常設するという点でも新しかった。

瀧口修造が携わった画材屋の画廊

実川から画廊について話を聞くようになり、洋画の画廊はいつからあったのだろうかという疑問が芽生えてきた。その答えを求めて、一九八五年に日本洋画商協同組合によって刊行された『日本洋画商史』という本にたどり着いた。

この本によれば、日本で最初の画廊は高村光太郎が一九一〇年に神田淡路町に開いた琅玕洞(ろうかんどう)だという。骨董商の酒井好古堂を改装して画廊にしたてた。それまで画家たちの発表の場といえば美術団体の展覧会や文展などの公設展に限られていたのだが、個展という形式で自己表現するという理想を高村は実現しようとした。

高村に影響されたように、芸術家たちが相次いで画廊を始める。一九一三年、画家・木村榮一が神田三崎町でヴィナス倶楽部を開き、翌年には、批評家の田中喜作が田中屋美術店、神田小川町には仲省吾が流逸荘、京橋には竹久夢二が港屋を開いた。また、一九一九年には、神田神保町に写真家の野島康三が兜屋画堂、福原信三が銀座の資生堂二階に資生堂ギャラリーの前身となる陳列場を開設している。これらの画廊では、洋行から帰国した梅原龍三郎や岸田劉生、バーナード・リーチなど、多くの画家が個展やグループ展を開催した。けれどもほとんどは数年で閉じている。画廊主そのものが芸術家肌で、画廊が画家の支えになるところまで至らなかった。あるいは、関東大震災で焼失した画廊も少なくない。

東京を中心に、商売として成立する本格的な画廊が現れるのは関東大震災後の大正末期になる。版画家・西田武雄が八重洲に室内社画堂、石原龍一が神田連雀町で絵具商兼画商の求龍堂、実業家・鈴木里一郎が日本橋で青樹社をそれぞれ開業。昭和に入ると、長谷川仁が銀座に日動画廊、佐藤次郎が虎ノ門に日仏画廊、西川武郎が野島康三から名前を引き継いで兜屋画廊を相次いで設立している。このあたりが洋画商の草分けといえるようだ。

実川が画廊めぐりをはじめた一九五〇年代半ばも、銀座や神田が画廊の集積地だった。当時はどのような画廊があったのだろうか。『日本美術年鑑』一九五六年版には次のような画廊が載っている。

兜屋画廊、サヱグサ画廊、和光、養清堂、村松画廊、新橋画廊、数寄屋橋画廊、東京画廊、日動画廊、丸善画廊、松島ギャラリー、三笠画廊、室町画廊、彌生画廊、フォルム画廊、草土舎画廊、竹見屋画廊、中央公論画廊、日比谷画廊、光風会画廊、櫟画廊、なびす画廊、サ

トウ画廊、三省堂画廊、文房堂画廊、産経会館、美松書房画廊……。

実川がよく足を運んだのは神田の画廊だった。

「竹見屋、文房堂、草土舎、なびす、サトウなど、画材屋が経営していた画廊がたくさんありました。画材屋の二階に画廊を作って、若い作家の作品を紹介していたんです。一九五五年だったかな。画材屋を兼ねた現代美術専門の貸し画廊・サトウ画廊が銀座にできて、若い作家を取り上げているというニュースが美術雑誌に載っていて、ぼくは訪ねていった。北海道出身の彫刻家、砂澤ビッキの個展をやっていて、木の根っ子を素材にした抽象彫刻に興味をもちました。何年も経ってからビッキさんに会った時にその話をしたらものすごく驚いていました」

詩人で美術評論家の瀧口修造が関わったタケミヤ画廊へは、実川は高校時代に二度ほど行き、「オノサト・トシノブ展」と「瑛九エッチング展」をみた。

一九五一年六月にタケミヤ画廊を開いたのは、神田小川町にあった竹見屋画材店の筧正人である。戦後、画材店を再興するために、二階に若い作家たちの無料画廊を併設することになり、その企画と運営を瀧口修造に依頼した。

〈若い新人に無償で会場を提供することになり、人選交渉一切を依頼されたので、私も無償を条件として引受ける〉

瀧口修造の「自筆年譜」には、そう書かれている。以来、五年十ヶ月にわたり、作家の発見・発掘から発表に至るまで、瀧口は無償で、二〇八回もやり遂げた。

実川も高校生のときから瀧口の動向に注目してきた。

「瀧口先生は、戦前からの日本における前衛芸術の精神的リーダーだった人です。その頃から海外のシュルレアリストと文通をしているでしょう。戦時中はシュルレアリスムや前衛という言葉そのものが抑圧されてしまうけれど、戦後になって、タケミヤ画廊で、前衛の芽をもつ新人作家の個展を開いて紹介することになったわけです。瀧口さんは個展ごとにパンフレットを作り、『美術手帖』や読売新聞の美術欄でも批評を書くので、その新人作家は注目されていくわけです」

阿部展也、鶴岡政男、杉全直、浜田浜雄、村井正誠、小山田二郎、瑛九、オノサト・トシノブ、難波田龍起、野見山暁治、山口勝弘、福島秀子、榎本和子、藤松博、利根山光人、河原温、草間彌生、吉仲太造、池田龍雄、大辻清司、石元泰博、漆原英子、岡上淑子、前田常作、鍥嘔、加納光於、中村宏、池田満寿夫、野中ユリ、八木一夫などがタケミヤ画廊で個展を開いた作家である。

河原温と出会った新宿風月堂

浪人中の実川は口実を見つけては韮山から上京し、兄の下宿に滞在しながら画廊や古本屋めぐりをしていた。その頃、最も心を揺さぶられ、今も眼に鮮明に焼きついているのは、新宿の風月堂でみた河原温の《浴室》シリーズだった。

「兄の友人に連れられて行きました。新宿駅東口から新宿通り沿いを明治通りに向かって進むと、まだ道路の状況がよくなかったんですね。左手のぬかるみの向こうに紀伊國屋書店がありました。木造の二階建てでした。正面に森田元子の女性像、一階から二階にあがる階段には森芳雄の作品が飾られていました。紀伊國屋で本を見てから風月堂へ向かいました。風月堂の椅子に腰掛けてコーヒーをごちそうになっていると、自分も都会人になったような気持ちがしましたね。風月堂では、偶然に河原温の重要な作品《浴室》シリーズを展示していたんです。長方形ではない、いびつな形状の紙に鉛筆で描かれていることに度肝を抜かれました。絵に色彩がないことにも驚きました。それまで本や美術誌の図版として見ていた現代美術にはじめて触れたんです」

河原温の《浴室》シリーズは、格子状のタイルに囲まれた密室に、裸の妊婦や、バラバラの屍体が、重力と無関係の向きにあちこち配置されている絵である。あっけらかんとしたタッチでグロテスクさよりおかしみのようなものが感じられるが、みたあとに残るのは重く深いものである。

河原温はその後世界的なコンセプチュアル・アーティストになっていくのだが、実川は、河原が一九五〇年代後半に手掛けた「印刷絵画」も気になっていた。自ら製版所と印刷所へ出向き、オフセット印刷の技法を駆使して制作を行う実験的な試みだった。河原は、「作品の稀少価値などというものは、とっくの昔に絵画の本質とは関係のないものになっているのではなかろうか」「複製になって始めて完成される作品――つまり無数に原画が存在するような作品をつくりだすべきであろう」（河原温「『原画一点』への疑問」「美術手帖」一九五八年四月号）という考えを持っていた。

「河原さんがメキシコへ渡る前の一九五九年前後、『美術手帖』に一年ほど印刷絵画の広告が載っていていました。河原さんはアンディ・ウォーホルよりも早く印刷絵画に取り組んでいるんです。これも河原温の仕事として再評価してほしいですね。ぼくはのちに河原さんの印刷絵画を買って持っていました。いわき市立美術館が一九八四年に開館するにあたって、館長から収蔵したいといわれ、《ニグロの顔》など数点を納めています」

戦後、新宿にはたくさんの喫茶店が誕生した。新宿の文化的拠点として芸術家や若者に支持されていたのが新宿風月堂だった。開業は一九四七年。創業者の一人、横山五郎が自らコレクションしたクラシックレコードを聴かせるようになり、評判を呼んでいく。その頃から横山のもうひとつのコレクションである日本の洋画や彫刻が飾られていたが、ギャラリーの要素を強めていくのは、区画整理のために移転して新店舗をオープンした一九五五年からだった。横山は店が若者たちの文化的なサロンになることを願い、広い壁面をもつ大きな吹き抜けは、若手作家の前衛的・抽象的な彫刻と絵画を展示する「新宿風月堂ギャラリー」にした。展示ごとに出品目録や解説などを掲載したリーフレットを客に配る徹底ぶりだった。一九五七年から五九年の展示リストを見ると、山口勝弘、福島秀子、芥川紗織、向井良吉、吉仲太造、河原温、池田龍雄、流政之、前田常作、漆原英子、北代省三、井上武吉、佐藤忠良、杉浦康平などの名が連なっている。

数々の作品展のなかでも象徴的なのは、一九五六年、五七年に、それぞれ一ヶ月の期間で行われた「実験工房」の展示だろう。実験工房の名付け親は、瀧口修造である。メンバーは、美術家の北代省三、山口勝弘、福島秀子、駒井哲郎、写真家の大辻清司、音楽家の武満徹、湯浅譲二、福島和夫、佐藤慶次郎、鈴木博義、園田高弘、照明の今井直次、技術の山崎英夫、詩人の秋山邦晴といった異なるジャンルの前衛芸術家たちである。

実験工房の活動が正式にスタートしたのは一九五一年。読売新聞社主催の「ピカソ展」が開催され、その関連行事「ピカソ祭」でのバレエ「生きる悦び」の演出と構成を依頼されたことがきっかけだった。読売新聞社の海藤日出男から相談された瀧口が彼らを推薦し、名づけ親となった。一九五一年から五七年頃まで、造形や音楽のみならず、ダンス、演劇、映画といったさまざまなジャンルと結びついて造形を行っている。
音楽家の武満徹は、『第11回オマージュ瀧口修造』に次の文章を寄せている。

〈実験工房〉は、いまでこそそれに類したグループ活動もさほど珍しくはないが、結成の当時は、一般には、かなり奇異なものに映ったようだ。日本の文化状況は閉鎖的なものだったし、ジャンルを超えた結びつきに、誰しもが疑わしげな、それでいて好奇に充ちた目を向けていた。私たちの結束を支えた大きな力は、言うまでもなく、詩人瀧口修造の存在だった。海藤日出男氏の発案が契機となって〈実験工房〉は生まれたが、実際の表現活動以上に、瀧口氏から与えられる創造の啓示に、私たちは一様に精神を開き、その結束も深めたのだった。いまはそれがとても懐かしいものとして思いかえされる。

武満徹「実験工房と瀧口修造」『第11回オマージュ瀧口修造』佐谷画廊、一九九一年

当時の新宿風月堂については、のちに自由が丘画廊に顔を出すことになる画家の谷川晃一からも話を聞くことができた。谷川は一九三八年生まれ。独学で絵を書き、新宿風月堂には二〇歳くらいから出入りしていた。中西夏之や赤瀬川原平など読売アンデパンダン世代の画家たちと深く交流し、画家、絵本作家、エッセイスト、美術評論家としても活躍している。飄々とユーモアを交える語りは、温かく、鋭い。

「風月堂は溜まり場。約束しなくても、知り合いが誰かしら居たんだよね。月一度だか、十日に一度だか忘れたけれど、北園克衛の詩誌『VOU（バウ）』がテーブルの上に置かれていてね、北園克衛の新しい詩が読めるのがすごく楽しみだった。現代音楽家の小杉武久は高校の時からの友だちで、風月堂では小杉が毎日のように即興音楽をやっていた。彼は『音はすべからく音楽であるべしなんだ』という考え。マイクの上から紙をクシャクシャ巻きつけたりして、その横に『Micro1』とか書いてあったりするのね。

絵の展覧会やパフォーマンスなんかの案内状を配ったり、壁に貼ってあったりするから、風月堂に行けばどこで何をやっているかわかったんだよね。そういう場所は世界のどの都市にもあると聞いた。のちにウィーンへ行くと、同じようなカフェがあって壁中に案内が張り巡らされていたのでわかったんだよ」

新宿風月堂の吹き抜け空間の写真には、必ずといっていいほど北代省三のモビールが映り込んでいる。煙草の煙にもゆらぎ回転するモビールは、新しい芸術の空気に触れることを好んだ若者や文化人のサロン新宿風月堂のシンボルだったのだろう。

古本屋で画集を眺めたフィルム運び時代

一九五六年になり、実川は上京して西武池袋線練馬駅南口にあったネリマ東映劇場で働き始めることになった。二年続けて藝大受験に失敗し、家に居るのもつらく、韮山を出たくてたまらなくなったのだ。

「韮山の友だちのお母さんから、親戚が東京で映画館をやっていて住み込みで働く人を探していると聞いて、その話に飛びついたんだよね。行ってみてからわかったんだけど、仕事はフィルム運びという肉体労働だったんです」

当時は映画フィルムの焼き増し代が高くて割り当てられる本数が少なく、複数の映画館が一本のフィルムで掛持ち上映をしていた。フィルム缶の一巻が十分から十五分くらいで、六巻で映画一本分。上映が終わると、自転車の後ろにフィルム缶を何巻もくくりつけて競輪選手のように走った。バランスを崩してひっくり返ったことが何度もあり、必ず帽子を被らされたという。目白の鳩山邸の前の急な坂を登って神楽坂の映画館へ行ったり、三田の映画館へフィルム缶を運んだりすることもあった。芝では東京タワーの土台工事が行われていて、自転車を止めてその巨大な造形を夢中になって見入ったこともある。

「フィルム運びのほかにも、掃除をしたり雑用をしたりと忙しかったですね。映写室の後ろにある二畳の休憩室に寝泊まりをして、しょっちゅう腹をすかせていた。東大生になった康芳夫や韮高時代の友だちが代わりばんこに来て慰めてくれるんです。わずかな酒でも酔っぱらえるように、一気飲みしたあとに道路で駆けっこしたりして、バカばっかりやっていましたよ」

自転車を盗まれるのが怖くて、自転車を気にしながら古本屋に入るのが精一杯で、それ以外の遊びはしなかった。フィルム運びと映画館の雑用に追われる日々を二年間続けた。

「斜向かいにある乾物屋のかわいいおねえちゃんにちょっかいを出したくても出せない。無学で肉体労働をやっていたら、気の利いた女の子とは出会えないことに気づくんですよ。田舎の同級生も訪ねて来ると、歳をとってから後悔するから、もう一度進学を考えろよと説得するんです。そろそろ真面目にならなくちゃまずいなという気持ちになって、進学できそうだということで桑沢デザイン研究所に入学しました。入学金と授業料はそれまで稼いだ金でまかなうことができました」

III　現代美術を広めた先人たち

激動の一九六〇年代のなかで

一九六〇年、二三歳になった実川はいまだ美術とは無縁の仕事に就いていた。父が土木建築の会社を再開し、人手が足りなくなったからと、桑沢デザイン研究所の卒業を待つようにして実川に仕事を手伝わせたのだ。

「一九六〇年に伊豆急の伊東―下田間の鉄道敷設工事が始まるのですが、親父がトンネル工事を請け負うことになり、それを成功させると再び仕事が忙しくなったんです。世の中全体が高度成長期で、建設業界も黄金時代でした。父の跡を継いだ四番目の兄貴が急逝し、長兄と末っ子のぼくが家業を手伝うことになりました。ぼくの仕事は土木作業員を集めること。北海道から種子島まで、日本中あっちこっち回って、地方のボスみたいなのと出会って人材を集めて関東まで連れてくるんです。フーテンの寅さんみたいでしょう。地方で画廊を見つけると入っていたけれど、美術の動きは遠くから眺めているだけでした」

一九六〇年代前半といえば、学園紛争、安保闘争が過熱し、既成のものごとに異議申し立てする変革の意識が高まっていた。その時代と呼応するように、若手の前衛美術家がグループを結成する動きが目立っていた。

前章で伝えたように、一九四九年に創設された読売アンデパンダンは、一九五八年の第十回展以降は初期からの作家による出品は減少し、急進的な若い前衛作家による、異様なエネルギーを感じさせる作品が目に付くようになっていく。篠原有司男や工藤哲巳らによる廃物や日用品を利用したような破壊的パワーを持つ作品群は、芸術と呼べるものなのか、いや芸術だと議論を巻き起こしながらも回を重ねるごとに増えていった。

前章にも登場した画廊春秋の浅川邦夫は、一九六〇年代前半に読売アンデパンダンで暴れていた前衛芸術家たちと親交を持っていた。浅川は高校時代、日本でジャンク・アートを推し進めた前衛美術家・小野忠弘から美術の教えを受け、自らも画家を目指していた。反芸術を推し進めていた彼らに浅川は共感を抱いていたのだ。浅川は言う。

「読売アンパンを始めた海藤さんが、なんでもいいじゃないかとギュウチャン（篠原有司男）たちを焚きつけたんだよね」と。

美術評論家の東野芳明が「ガラクタの反芸術」と名付けたその動きは、一九六〇年に入ると、篠原が中心となり赤瀬川原平や荒川修作らによってネオ・ダダイズム・オルガナイザーズとして結集し、展覧会の他に街頭パフォーマンスやハプニングをも行った。また、九州派、時間派などのグループが全国に現れ、アナーキーで活力に満ちたアクション、ハプニングを繰り広げていた。さらに、一九六三年には高松次郎、赤瀬川原平、中西夏之による匿名集団ハイレッド・センターが結成されて奇抜なイベントが行われた。

ハイレッド・センターの根城ともいえるのが、一九六三年に新橋駅近くに開廊した内科画廊だった。貸し画廊ではあるものの、現代美術にとって重要な役割を果たした。その名の通り、もとは内科の診療所だったが、院長が亡くなり、一人息子で当時医者のインターンをしていた宮田國男が、自分が診療所を開業するまでという期限付きで画廊にした。宮田國男に助言をしたのは、幼なじみの前衛画家、中西夏之だった。

「内科画廊は新橋のプラットホームからよく見えたんだよね。その頃のぼくはまだ土木建築の仕事をしていたし、中西さんや赤瀬川さんたちの活動についてはあまり知らないので、谷川晃一さんに尋ねるといいよ。前に谷川さんが自由が丘画廊に来たときに、内科画廊について聞いた記憶があるよ」

実川のアドバイスに従って、再び谷川から話を聞くことにした。

「内科画廊は、新橋の堤第二ビルにありました。エレベーターのない、古い雑居ビルの三階。高校時代の同級生が同じ階にあった出版社で働いていたので遊びに行ったんです。梯子を貸してほしいとか、やたら言ってくる男がいて、うるせぇなあと思っていたら、それが中西夏之だった。そうやって出会って、生涯で最高の友だちになったんです。中西はのちに東京藝大の教授になるんだけれど、権威など微塵も感じさせない。友情に厚い男だった。ぼくの妻（画家でエッセイストの宮迫千鶴）が亡くなった夜には、家の外でそっと見守っていてくれたし、その後も毎日会いに来てくれました。中西と出会った当時、彼は赤瀬川、高松とハイレッド・センターを結成していた。高松、赤瀬川、中西のそれぞれ頭文字をとってそう名乗ったんだよね。ハイレッド・センターに代表されるように、これまで誰もやらなかった美術の概念が役割を持つ時代だった。誰も知らなかった美術、展示の仕方、そんなことが一斉に始まった。それを導いたのが中西と赤瀬川で、どんなことを言い出し、やり出すかわからないから一緒にいて楽しくて仕方がなかった」

時代背景や地域の特性によって創られる芸術もある、と谷川は言う。

「読売アンパンに出品した中西の作品は、キャンバスから出た紙紐に無数のアルミの洗濯バサミがつけられたものでした。中西の実家は京浜工業地帯に近く、工場が集まっている場所へぼくも一緒に行って、ジャンクを拾って来て作品を作りました。土方巽や大野一雄に頼まれて中西と一緒に舞踏の舞台装置を作った時も京浜工業地帯や街からいろんなものを拾ってきて制作しているんです。ぼくも最後の読売アンパンに参加していますよ。一九六四年に読売アンパンが廃止になるものだから、受け皿としてハイレッド・センターが一気に過熱するのね。発表の場になったのが内科画廊だった。ぼくも白衣を着せられて銀座の並木通りを掃除する《首都圏清掃整理促進運動》に参加させられたり、へんなことばかりやったりしていた。内科画廊はお客さんがすごくてね、オノ・ヨーコが現れたこともあったよ。一九六六年に閉廊する時には、瀧口修造、大岡信、ジャスパー・ジョーンズ、サム・フランシスといった人までが来ていました」

日本という小さな島国の雑居ビルにあった貸し画廊がハイレッド・センターの活動の場と

なり、影響力を持つ国内外のクリエイターにとって見逃せない、何かが起これば駆けつけて目に留めたい存在になっていたということなのだろう。

憧れの画商、志水楠男

一九六〇年半ば、二〇代後半になった実川は再び東京に住むことになる。家業の土木建築の事業が拡大して、東横線沿線の日吉に事務所を構えることになり、実川が運営を任されたのだ。そうなると、実川は水を得た魚である。画廊巡りを再開した。

実川が最も憧れた画廊は、東京・日本橋にあった南画廊である。一九五六年の開業から画廊主・志水楠男の急死によって一九八三年に閉じるまで、二五〇本もの現代美術展を開催した。六〇年代から現代美術を紹介する先鋭的な画廊だった。

「志水さんはフランスの抽象画家ジャン・フォートリエの個展を一九五九年に開催して一躍脚光を浴びます。フォートリエは、ヨーロッパの各地で起こった前衛芸術運動アンフォルメルの源流となった画家です。そのフォートリエを日本に招いて開いた、戦後初の現代美術の個展として評判を呼んだのです。連日店の外に行列ができ、画廊は人で溢れかえったそうです。その後もサム・フランシスやジャスパー・ジョーンズ、加納光於、堂本尚郎、宇佐美圭司、山口長男といった国内外の現代美術の作家を積極的に取り上げ、ぼくはことあるごとに南画廊を覗きに行きました。志水さんは『美術手帖』『みづゑ』『藝術新潮』といった美術誌での対談によく出ていたし、インタビュー記事もありました。志水さんは美術界のスターといえる存在で、画商を志すぼくにとっては雲の上の存在でした。さっそうとしていながら愛敬があって、話が上手で一緒にいると楽しいんです」

実川が南画廊の志水と親しく話をするようになったのは一九六五年十一月、南画廊での「山口長男展」で山口の作品を購入したのが始まりだった。

「ぼくは山口長男さんの絵がものすごく好きでした。その頃は土木建築の仕事が順調で小金がありましたから、八〇号の大きな作品を買いました。のちに南画廊の大番頭だった石橋輝男さんから聞いたんだけどね、ぼくがねぎりもしないで買ったことを志水さんは驚いたんですって。『二〇代の坊やが買うなんて、ようやく日本にも現代美術の時代が来た』と言ってすごく喜ばれたと。それがきっかけになって志水さんのところへ遊びにいくようになるのですが、志水さんは憧れですから嬉しくて仕方がなかったですね」

志水のことをよく知るのが、画廊春秋の元画廊主、浅川邦夫である。南画廊の創業から社員として十二年間運営に加わってきた。浅川は一九三二年生まれの八八歳（二〇二〇年当時）。キャスケット帽をかぶり、薄い茶色のカラーレンズ眼鏡をかけ、幾何学模様のシャツ姿でさっそうと現れた。実年齢よりずっと若々しい。張りのあるやや高めの声ではっきりと、そして恐ろしいほどの記憶力の良さで、一九六〇年代から七〇年代の現代美術の舞台裏を語ってくれた。まずは志水の出自からだ。

「志水さんのおじいさんは貴族院議員だった人で、志水さんはものすごく育ちがいいんです」

志水楠男は一九二六年、元号でいうと大正十五年に小石川区小日向町で生まれた。熊本県出身の祖父、志水小一郎は上京して法律家となって陸軍法務局長を長く務め、のちに勅撰の貴族院議員となった人物。軍の法制度の勉強のためにオーストリアに留学したこともあり、陸軍軍医だった森鷗外とはよく一緒に昼めしを食べた仲だったという。「あと三ヶ月も陸軍法務局長を務めれば、男爵を叙爵されていた」と志水は、友人たちに話していたそうだ。

志水の父もビジネスエリートだったが、父親は志水に、子どもの頃から「役人やサラリーマンにはなるな。実力で生きていけ」と毎晩の酒席で諭していたという。

志水自身は、羽仁もと子、吉一夫妻が自由主義にもとづいて創設した全寮制の自由学園に両親の薦めで中学から入学する。高等科一年時に中退し、海軍の主計科士官を養成するエリート校である海軍経理学校の試験を受けるが失敗。戦中戦後の混乱のなかで、それ以降は学歴とは無縁となった。一九四五年の終戦の年には父が亡くなって収入を得る必要が生まれ、進駐軍のＰＸで写真のＤＰＥの仕事についている。

一九四七年、志水は知人に紹介され、就職するつもりで老舗骨董商の平山堂を訪れた。そこで出会ったのが、平山堂を退職して洋画商になろうとしていた山本孝だった。

「骨董屋なんかに入るべきじゃない。第一、目を鍛えるには、少なくとも十年以上かかるから、君はもう遅すぎる。これからは洋画だよ」。そこまで山本に言われ、志水は一転して洋画商を志すことになる。二一歳だった。

「志水さんは、山本さんが三浦善市郎さんと設立した数寄屋橋画廊で働き出すわけね。一九五〇年には、山本さんと志水さん、そして志水さんの友だちが五、六人集まって東京画廊を作るんです。敷金の出資元は、志水さんの自由学園時代の同級生だった山本陽一さんでした。ぼくが志水さんと初めて会ったのは、東京画廊のこけら落としで『鳥海青児展』をやった時ですね。ぼくは鳥海先生と親しくて、先生の弟子みたいに可愛がってもらっていたので、その時も高校生だったけれど手伝いにきています。それがきっかけで志水さんが一九五六年に南画廊を始める時に社員になるんです」

一九五〇年代初頭、日本には現代美術を扱う画廊は未だなく、南画廊も日本の近代洋画を代表する作家を扱うところから始めている。

「戦後のGHQ占領政策で財閥解体が行われるでしょう。財閥の一族は全財産を凍結されたうえに多額の税金をかけられて、無収入状態になるんですね。その時期に三井、三菱、安田などがお宝を売った。それを扱う画商が儲かったんですね。志水さんは三井財閥の六本家の一つと親しくて、そこから絵が出てきた。梅原龍三郎や藤島武二、安井曾太郎、岡田三郎助などで、そのほとんどを倉敷の大原美術館に収めてそれで食っていた。でも数年して占領が解かれると旧財閥の経済が復調して絵は簡単には出てこなくなりました。それで南画廊は駒井哲郎や難波田龍起の展覧会を開くようになるんです」

展覧会はやらなかったが、初期の南画廊では、萬鉄五郎や岡鹿之助、松本竣介も扱っていた。

「井上長三郎先生が松本竣介と親しくて、竣介の死後も彼の仕事を大事に思い、奥様から預かった絵を南画廊に持っていらっしゃることが何度かありました。その頃、現代美術というジャンルはまだなかったけれど、ぼくが最初に売った前衛絵画といえば、萬鉄五郎といえるんじゃないかな。大正生まれの萬は、ゴッホやマティスなどフォービズムの手法を取り入れた先駆者で非常に新しい仕事をしていました。南画廊で、カンディンスキーの初期の作品みたいな感じの絵を飾っていたら、新潟から来たというおじさんが店に入ってきて、ひょいと買っていきました。入社したてのぼくの給料が一万円の時に、十万円だったんです。南画廊が前衛絵画を売った最初ですね」

志水は一九五八年二月の「今井俊満展」以降現代美術に向かっていく。今井俊満はパリでアンフォルメル運動に参加していた抽象画家だった。

前章でふれたように、アンフォルメルが日本で最初に紹介されたのは、一九五六年の「世界・今日の美術展」だった。翌年の一九五七年に再び帰国した今井は、来日したミシェル・

タピエ、ジョルジュ・マチュー、サム・フランシスたちと一緒に日本美術界に「アンフォルメル旋風」を巻き起こしていく。ミシェル・タピエが新聞や雑誌で書き立て、ジョルジュ・マチューやサム・フランシスがパフォーマンスで魅了していった。

「とりわけ話題になったのが、ジョルジュ・マチューによる日本橋の白木屋百貨店のショーウインドウでの公開制作。これは日本の美術史上ですごく大事」、と浅川は念を押すように話す。

このことについては目撃者の一人、篠原有司男が『前衛の道』でマチューのパフォーマンスに興奮したと伝えている。

アンフォルメルのショックも覚めやらぬ翌年、こんどはタピエが画家マチウ本人をともない来日し、しかもアクション・ペインティングの何たるかを日本のファンの前でお目にかけようというのである。マチウは日本橋白木屋のウインドウの中に横十メートルのカンバスを用意し実演した。これにはぼくでなくても走り出して見に行くはずだ。庄助とぼくは街路樹に登っていまや遅しと待ちかまえた。現われたジョルジュ・マチウは浴衣にたすき、赤いはち巻に白たびといった演出効果満点の仇討のような姿で、黒山のようなカメラマンや見物人をひとわたり見廻すと、実存主義風のアゴヒゲを生やした今井俊満がそばで溶く絵具をとっぷりつけた筆を左手に、口でふたをねじ切ったチューブを右手に、二刀流でカンバスに飛び掛って行った。岡本太郎の三原則がいやったらしさなら、マチウのは、直接、スピード、興奮である。銀蠅のように群がるカメラマン。マチウの動きが激しくなるたびに、滝のようにシャッターが切られる。〝これだ〟これが現代の画家の真の姿であるはずだ。夕陽をもろに浴びながら街路樹の上でぼくは、自分をマチウと置き換えひとりで興奮した。

篠原有司男『前衛の道』美術出版社、一九六八年

こうして日本にアンフォルメル旋風が来襲した。洋画や彫刻にとどまらず、日本画や陶芸、生け花といった伝統的な表現ジャンルに至るまで影響を及ぼしていくことになる。

アンフォルメル旋風の渦中にいた今井俊満と南画廊の接点はどこにあったのだろうか。当時をよく知る浅川は言う。

「戦後のあの頃は評論家が力を持っていたでしょう。志水さんは毛並みがいいだけじゃなくて、人柄がものすごくいい。だから富永惣一さんや今泉篤男さん、東野芳明といった美術評論家からも気に入られるのね。日本に最初にゴッホを持ってきたり、読売アンパンをしかけたりした読売新聞社文化部の海藤日出男さんとも親しくて、海藤さんから、フランスと日本を行き来していた今井俊満を紹介されるんです」

今井自身も志水との出会いを、追悼文「南画廊と私」に書いている。

南画廊契約第一号の画家は私である。読売新聞文化部のデスクであった海藤日出男さんの仲介によるもので、その契約は１９５６年春から一年間毎月５万円ずつ支払われた。海藤さんがパリから帰国したのが１９５５年の５月で、数寄屋橋画廊から東京画廊に移り、南画廊をこれから新しく自分ではじめようとしていた志水さんを説得したのである、志水さんは私より２歳年上だからまだ29歳の青年だった。

（略）あとから知ったがこの契約金は志水さんの竹馬の友、山本陽一さんから出ており、契約による私の作品はすべて、コレクターの大原總一郎さんにおさめられることになっていた。


今井俊満「南画廊と私」『志水楠男と南画廊』「志水楠男と南画廊」刊行会、一九八五年

一九五九年十一月に開催された「フォートリエ展」は、南画廊を現代美術の画廊だと決定づける契機となった展覧会で、異常なほどの盛り上がりを見せた、と浅川は言う。

「フォートリエ展は、戦後初めて絵画を直輸入したということで、日本の美術界では非常にショッキングなできごとだったのです。ＧＨＱの占領は終わったけれど、一ドルはまだ三六〇円の固定為替レートのままだったので大変でした。店の外まで人がならぶほど大騒ぎになり、日本画の伊東深水先生までお見えになりました。たしか大原總一郎さんが二点買ってく

ださいました」

これをきっかけに南画廊では海外の現代美術作家を紹介するようになる。展覧会を開く際には必ず画家自身を日本に招待していた。

「東野さんたちがサム・フランシスを南画廊に連れてきて、志水さんと仲良くなるの。一九六一年にサム・フランシス展をやったでしょう。志水さんが亡くなるまでサム・フランシスとのつき合いはありましたよ。その後、ジャン・ティンゲリー展やジャスパー・ジョーンズ展、クリスト展もやり、いずれも本人が来ているんですよね」

谷川晃一は当時の南画廊に入りびたっていた一人だ。サム・フランシスやジャスパー・ジョーンズとも南画廊で顔見知りになった。

「ぼくの勤めていた内装会社が南画廊のすぐ近くにあったんです。お昼休みに遊びにいくと、サムやジャスパーがいて、仲良くなっていくんですね。彼らが南画廊に行く途中、ぼくが内装会社で働いているのを見つけると、ハーイなんて言いながら入ってくるんですよ。ぼくはペンキなんか塗っていて忙しいから困るわけ。ここには来ないで〜、という感じでしたよ」

谷川のその話を聞いていた浅川は、「谷川さんが初めて南画廊に来たのは、フォートリエ展をやった頃だから二〇歳前後でしょう。谷川さんが中西と親しくなって、中西とぼくの交流も始まったんじゃないかな」と話す。

「そうでしたね。ぼくは自分の絵に対する指向を確認したいと思っていて、プロの意見を聞けるかなぁと南画廊に出入りしていました。ある時、南画廊にいらしていた山口長男さんに意見を求めると、それよりも飯でも食べるか、といって御馳走してくれました。でもその間、食べ方についての指南を受けることになったんだけどね。同じ頃、池田満寿夫もよく南画廊に来ていましたよ。池田さんはまだ絵で食えてなくて、詩人の富岡多恵子と一緒に暮らしていた。二人一緒に来ていたこともありました。ある時、南画廊の前を池田さんがほかの女性と歩いているのを、富岡さんとぼくが目撃したんです。谷川さん、追いかけて、と富岡さんに言われて走ったけれど、途中で馬鹿らしくなってやめちゃった」

谷川の話は取り止めのない内容のようでありながら、聞いていくうちに映像が浮かび、南画廊に集っていた人たちの姿が見えてくる。

ところで、読売アンデパンダンの中止が決まったのは一九六四年一月十四日だが、同年同月の三〇日から二月十五日まで、南画廊では「ヤング セブン展」を開催している。出展作家は荒川修作、岡本信治郎、菊畑茂久馬、工藤哲巳、立石紘一、中西夏之、三木富雄の七名。いずれも読売アンデパンダン展に「反芸術」作品を出していた作家だ。企画をした美術評論家の東野芳明は展覧会カタログのなかで出展作家の共通点をまとめている。「第一に、一九三五年以降の出生（ただし岡本は三三年生まれ）で「第三の新人」と呼ばれた作家であること。第二に戦争の記憶との断絶による「日常」との関わりにおいて、廃物を素材にした「反芸術」の作品を制作しながら、個々の表現にその傾向に対する唐突な変身が見られること」だという。

「ヤング セブン展」は企画者である東野の要請に志水が応じて開いたものだが、南画廊ではその前後に工藤、菊畑、荒川、三木、中西の個展を開催し、反芸術と呼ばれた彼らの作品を理解し、紹介しようとしていたのだ。

その一人で、九州と東京を行き来していた菊畑茂久馬の回想によると、志水は熱心に個展を開くことを勧め、重篤な病を抱える菊畑の幼子が手術をするたびに励ましの手紙を同封したかなりの治療費を送り続けてくれたという。そして上京するごとに志水は自宅に宿泊するように勧め、「野良犬のような田舎者に、この人は何もかも取っぱらった裸形の人間のつき合いを、ドシンドシンと重ねていった」(「貫くように残る記憶」『志水楠男と南画廊』)という。画商とは、才能を認め、その才能を広く知ってもらいたいと願う作家に対してここまで親身になるものか。あるいは、志水だからそこまでしたのか、もちろん画商によって温度差はあるだろうが、画商と画家の関係の一端を垣間見させてくれる。

菊畑は、南画廊で合同展を一回、個展を二回開いた。「これらはすべて一文無しで九州の家を飛び出たまま、放浪の中で制作したものである」と同じ本に記している。

菊畑は、第二回個展に向けて《ルーレット》シリーズ四〇点を制作するにあたり、志水の計らいによって、当時南画廊に勤務していた浅川の自宅の二階をアトリエ代わりにしている。浅川は、菊畑をはじめ反芸術の作品を制作していた作家たちよりも数歳年上で、少しだけ兄貴分という感じだったのだろう。彼らのことが好きでたまらないという様子で話す。

「ぼくは東玉川に家を新築したばかりで、二階に二〇畳くらいの部屋があったから、モクさん(菊畑茂久馬)はぼくの家に一ヶ月ほどいて制作したんです。ぼくは画廊で仕事をしていたけれど、気が気じゃないから夜も志水さんと飲まないで帰るの。モクさんは、一日一点は必ず仕上げていて、モクさんが仕事をしている横で谷川さんやギュウチャン(篠原有司男)がとぐろを巻いて遊んでいた。中西は『ただいま』って帰ってきて、いつも四、五人でどんちゃん騒ぎよ。加納光於や三木富雄、清水晃なんかもいたね。近所の人なんか、モクさんが家の主人だと思っていたんだから(笑)」

浅川の家はその後も彼らの溜まり場になり、独立して画廊春秋を開いてからも彼らと濃密に交流していった。そして浅川は、南画廊で働いていた時分から、画商という仕事を超えて、これぞという前衛作家の作品をコレクションしてきた。そのうち七二一点は足利市立美術館に寄贈され、日本戦後美術の貴重なコレクションとなっている。

フォートリエに始まり、サム・フランシス、ジャスパー・ジョーンズ、クリストなど欧米の前衛美術家の作品をいち早く扱い、彼らを招くという華々しい一面を持つ南画廊の志水だが、国内の若い前衛美術家たちも積極的に支援していたのだ。

「ぼくは十二年勤めて独立したけれど、その後、志水さんのようないい人にはお目にかかったことはない。入社してから毎晩一緒に飲むわけですよ。飲みながら、あの絵は何でもいいんだろうとか、あれは何で贋物なんだろうとか、志水さんと二人でそんな話ばかりしていたね。行くのは新宿のプロイセンとキャロット。銀座ではローザンヌ。海藤日出男さんがそこを溜まり場にしていて、親分的存在でしたね」

浅川によると、絵の鑑定家がいない時代で、真贋を見抜くために志水はものすごく勉強していたという。

「しょっちゅう画集を見ていたし、国会図書館に行きっぱなしのことも多かったですよ。ぼくが南画廊で一番勉強させてもらったのは、財閥から出てきた南画ですね。与謝蕪村、池大雅、田能村竹田、浦上玉堂なんかが出てくるんです。池大雅は月に十本は出てくるけれど、そのうち九本は偽物。鑑定家はいないから、自分の眼で真贋を見抜くんですね。贋物をつかめばもろに損をするから、資料を漁りながら厳しく見るようになる。おかげで池大雅はわかるようになったけれど、玉堂はわからない」

実川もまた、志水を慕い続けた。

「ぼくは憧れをもって志水さんを見ていたし、わからないことがあると相談に乗ってもらいました。一九六〇年代から七〇年代、南画廊と東京画廊は現代美術の画廊として双璧でした。ぼくの印象では、南画廊は現代美術にどんどんこだわっていき、東京画廊は現代美術以外の作品も扱って画廊として大きくなっていった気がします。浅川さんが言うように、志水さんは人柄が良くて、当時の現代美術を考えている文化人の中心にいる人でした。南画廊はサロンのようで、美術評論家の東野芳明さん、瀧口修造さん、土方定一さんがよくいらっしゃっていました。詩人の大岡信さんが南画廊でタイプを打っている姿もよくみかけました。一九六〇年代はまだ外国から美術のニュースがあまり入ってこなかったのですが、志水さんはフランスやアメリカに情報網を持っていたんです。フランスにいた今井俊満さんから現地のニュースがしょっちゅう入ってきました。そういう情報も美術評論家たちを喜ばせたのだと思います」

南画廊が一九六〇年代、七〇年代から、まだ市場が育っていなかった国内外の前衛作家を扱いながら、画廊の経営を成り立たせることができたのは、クラボウ（倉敷紡績株式会社）社長で、大原美術館館長を務めた大原總一郎の存在が大きい。志水は東京画廊にいた時から大原番としてピカソの《頭蓋骨のある静物》やルオーの《呪われた王》を収めてきた。その後も、大原は志水が扱った現代美術を精力的に購入することで現代美術を支えてきた。

出光興産創業者の出光佐三とのつながりもあった。そのことについては実川も聞いていた。

「志水さんは、美術評論家のなかでは東野さんと一番近しかった。そして、東野さんの最初の奥さんは、出光興産社長の長女の出光孝子さんでしたから、東野さんにとって出光佐三さんは義父ということになります。一九五九年、東野さんがサム・フランシスを紹介したのがきっかけで、出光さんはサム・フランシスをコレクションすることになる。そして志水さんがサム・フランシスを出光美術館に収めることになったのです。数年後、サム・フランシスは出光さんの四女、真子さんと結婚するので結びつきはさらに深くなった。志水さんは、長い間、大原さん、出光さんから支持を受けていたのです。志水さんはそれほどの大物でした。それでもいわゆる裏で儲けようとはしなかった。そういう一筋なところにぼくは惹かれるんです」

支えてくれる人がいても、美術を扱うことには巨額の資金が必要だ。赤字を抱えたまま一九七八年、志水は急死する。

「志水さんが亡くなる前にふらりと自由が丘画廊にいらしたんです。ぼくにマン・レイが撮影したデュシャンの写真を引き取ってくれないかと言ってきたんだけれど、言い値が高かったし、手持ちの金がなかったから、今回は見送りたいといったんです。そうしたら志水さんは、ああそうかと言うと、その場でうとうと眠り込んでしまいました。その一週間後に亡くなったと聞いて、すごくショックでした」

志水の死を悼んだ美術関係者は多かった。浅川は言う。

「一九八〇年になれば美術館建設ラッシュが始まって、志水さんがストックしていた作品も高く売れたはず。あと二年我慢して、長生きしてほしかった。志水さんからボロクソに言われながらでもいいから、また一緒に酒を飲みたい」

浅川の言葉から、志水の人間的な魅力が伝わってくる。

エスパース画廊での出会い

御茶ノ水にあった明治書房とエスパース画廊の名前は、実川の話に何度登場したかわからない。それほどここでの時間と出会いは大きかったのだろう。

「明治書房については、高校生の時分から韮山の柏木先生に聞かされていました。洋書の取次と販売のほか、フランスのリトグラフも印刷物として輸入し販売しているということでした。ピカソやミロ、シャガールをはじめとしたリトグラフの輸入元として知られていたのです。一点もののタブロー（絵画）には膨大な関税がかかりますから輸入が難しい時代でした。ぼくは柏木先生に用事を頼まれて明治書房に出入りするようになりました。柏木先生の知り合いということで明治書房も信用してくれたのだと思います」

そもそも明治書房は、一九三六年創業の老舗出版社である。ブルーノ・タウトの『ニッポン』や『日本文化私観』、白樺派の同人で東洋美術史の研究家として知られる八幡関太郎の『支那画人研究』など戦前の名著の数々を出版している。戦後にも『澤田政廣作品集』『堂本印象新造形作品』『清水六兵衛作品集』といった作品集、『ピカソ版画展』『ビュッフェ展』などの図録を出し、そのかたわらでフランスから画集やリトグラフを輸入していた。明治書房が版画の輸入元だったことは、久保貞次郎がエッセイ「版画コレクター諸君のために」のなかで書き残している。

西洋の版画をいつも店にたくわえているところはいまのところ日本にはない。しかし戦後西洋版画をいちばん熱心に輸入したのは、神田駿河台の明治書房であろう。明治書房は十年前ごろから、ピカソの五十部限定の石版をつぎつぎにとりよせた。そのころは一枚二万円くらいだった。それらの版画がいまたいてい十数万円になっている。明治書房はピカソばかりでなく、ヨーロッパの作家の版画を売る「国際版画組合」や、「版画作品の会」から多くの版画を輸入し、蒐集家を開拓してきた。今年の一月―三月、鎌倉の近代美術館で開かれた「現代ヨーロッパ版画展」は、「版画作品の会」の作品を展観したものである。版画愛好家はこういうチャンスを逃すことなく、美術館に足を運ばなければならない。値段は八千円から十三万円ぐらいまでだった。約三百点陳列された。

久保貞次郎『版画蒐集の秘訣 久保貞次郎・美術の世界9』「久保貞次郎・美術の世界」刊行会、一九八七年

明治書房が新社屋を完成させた一九六三年、ビルの一階に明治書房の美術部門として新設

されたのがエスパース画廊だった。東京に住むようになってからの実川は、エスパース画廊にも頻繁に出入りするようになる。

「新旧さまざまな作家のリトグラフを見ることができて、どれだけ勉強させてもらったかわかりません。しかも海外の美術情報も集まっていましたから、都内の美術好きの溜まり場にもなっていました。そのなかには岡鹿之助さんや海老原喜之助さんという巨匠もいました。若かりし日にパリに留学していた先生たちのお話を聞いて、フランスへの憧れが募りました。瀧口修造先生や久保貞次郎先生といった美術評論家、中山久さんや今井彰さんという美術コレクターの方々もよくいらしていました」

瀧口修造は、いつ会っても背広にネクタイをきちんと締め、瀟洒だった。

「何度かお会いしているうちに、ぼくはピカソの作品集を集めていると瀧口先生にお話ししたんです。そうしたら、瀧口先生がみすず書房から出された『ピカソ 戦争と平和』（一九五六年）を送ってくださいました。ぼくはお礼に百貨店のお仕立券付きワイシャツ生地をお送りしたんです。すごく喜んでくださって、少しだけ近しくなりました。エスパース画廊での瀧口先生は、土方巽の舞踏や、唐十郎と状況劇場のことなどを、ぼくらに面白く話してくれました。ほかの美術評論家が見向きもしなかったアングラ文化にいち早く接して、評価していたんです。それまでの常識では理解できないものに興味をもって見に行ったり、聴いたりする姿勢はすごいなとその時思いました」

そのころの瀧口は六〇代。すでに現代美術を志す若い芸術家の精神的支柱だった。実川があるパーティで瀧口と話していると、周りに人々が集まり、瀧口の話に耳をそばだてる。

「周りの人は瀧口先生のことを神々しい存在と思っているようでした。それでも瀧口先生ご自身は清廉な方で、ぼくには仙人のように見えました」

エスパース画廊は、実川が画商人生を歩むのに欠かせない人たちと結びつけてくれた場所だった。ちなみに明治書房のビルは、ＪＲ御茶ノ水駅の南側、駅前の雑居ビル群のなかに今もあるが、エスパース画廊がいつなくなったのかは判らない。

あたたかきパトロン、久保貞次郎

ＳＬがのどかな田園地帯を走る風景で知られる栃木県南部の真岡市には、戦中戦後にかけて、瑛九や北川民次、オノサト・トシノブ、利根山光人、池田満寿夫といった前衛芸術家が集った。なぜかといえば、そこに久保貞次郎がいたからだ。久保は美術評論、美術教育、エスペランティストなど多彩な経歴で活動し、さらにまた、前衛芸術家たちを支援し、小コレクター運動を通して市民に創造的生活を提唱するなど、芸術の普及に旺盛に力をつくして生きた。ある人は美術で、ある人は教育でと、久保から大きな恩恵や影響を受けた人は少なくない。

現在の真岡市にある観光スポットのひとつ、久保講堂は、貞次郎が婿入りした久保家の祖父、六平の傘寿のお祝いに貞次郎が真岡町に寄贈し、当初は小学校の講堂として使われていたものだ。この久保講堂には、彼らしいエピソードが残っている。設計をしたのは、フランク・ロイド・ライトに師事した遠藤新である。二人は以前からつながりがあり、久保が東京の牛込区佐土原町に家を建てる際にも遠藤に依頼している。遠藤の建築はライトゆずりで、形式や伝統や権威を超え、自由にのびのびとした空間であることが久保を喜ばせたという。

真岡講堂の事業費は四万八〇〇〇円（一九三七年当時の公務員の初任給は七五円）で、現在の金額で一億を超える。それを寄贈したのだから、婿養子に入った久保家が途方もない資産家だったことがよくわかる。当時の真岡町議会では、感謝の意を表して久保六平の胸像を建設する予定だった。けれども、久保は強く辞退した。無駄に権威を誇示することを嫌った久保らしい。久保は莫大な資産をもとに、才能を見出した前衛芸術家たちの作品を購入することで作家たちを励まし、経済的にも支援をしていった。

実川が真岡の久保邸を初めて訪れたのは一九六〇年代の中頃。広大な敷地に、以前は日銀真岡支店として使われていた一九〇七年築の立派な母屋をはじめ、大谷石の米蔵や、なまこ壁の土蔵などが建ち並び、実川を驚かせた。

「久保先生はものすごく愉快な人でした。とても高い地位にいらっしゃるし、とんでもない資産家なのに、偉ぶったり、気取ったりしたところがまったくなくて、気さく。誰にでも平等で親切で、どんなことも丁寧に教えてくれました。栃木県の真岡市に代々の家があるから、ぼくにも家に遊びに来い、来いと誘ってくれました。久保先生がエスパース画廊でピカソの版画を数点購入され、エスパース画廊の竹内宏行さんが真岡のお宅に納品する際に同行させてもらったのが最初でした」

実川が真岡の久保邸へ行くと、久保は喜んで敷地内を案内してくれた。七つある蔵は絵画や版画でいっぱいだった。その中央に「久保ギャラリー」という看板が建てられていた。

「久保先生の話では、版画が主体だけれど十五万点の作品を所蔵しているということでした。一つの蔵には額縁を作るおじさんが常駐し、一日中作業をしていました。『実川くん、ここまで来たなら絵を一点買っていきなさい』と久保先生に言われて、木村茂の版画ともう一点選びました。絵に関わっているところで少しでも世話になったら、買うことでお返しをしなさいというのが久保さんの教えでした」

久保のさまざまな顔のなかでも実川が親しんだのは、版画を日本に普及させた久保であり、小コレクター運動の唱道者としての久保だった。

「久保先生は一九五六年から小コレクター運動を進めていました。コレクターというと世間では、すぐブリヂストン美術館の石橋氏や大原美術館の大原氏のような大蒐集家を連想する。でも三点以上の作品を所有している人はコレクターと呼ばれる資格があるというのが久保先生の考えです。ただしコレクターの上に『小』という字を加えて、安心感を呼び起こしたいということでした。三点というのは、絵画でなくても、水彩やデッサン、版画でもよいというのです。一九五六年当時の金額ですが、版画の安いものは一〇〇円から三〇〇円で買えました。つまり、コーヒー代やタバコ代、化粧品を買うお金を節約すれば、だれにでも出せる金額です」

実川が久保から誘われて小コレクターの会に参加するようになったのは一九六六年頃。会場は日本橋の南画廊だった。

「ぼくが参加した頃の小コレクターの会は、久保先生は会の顧問となり、尾崎正教さんが主宰をしていました。尾崎さんは小学校の先生で、久保先生に共感して版画を普及する活動をされていました。南画廊での会は年に数回開催され、幼稚園や小中学校の図画の先生たちが熱心に通ってきていました。尾崎さんに加えて摺師の岡部徳三さん、児童美術教育の研究者である高森俊さんと大野元明さんの四人が、久保門下の四天王と言われていました。

小コレクター運動の前から、久保先生は創造美育運動を進めていました。創立メンバーには、久保先生のほかに画家の北川民次や瑛九、瀧口修造先生もいらしたそうです。のちには羽仁五郎さんや羽仁進さんも関わっています。この運動は子どもの美術教育において、子どもに自由に表現させることを目指すもので、そこで関わりのあった図画の先生たちが小コレクターの会に参加していたんです。だから日本の現代美術の最初の蒐集家は、図画の先生たちなんです。毎回二〇〇から三〇〇点が出品されていました。尾崎さんや摺師の岡部徳三さんがお持ちの作品、さらに、久保先生の門下生たちの作品で、ほとんどが版画でした。オークションのような形式で価格と購入者が決まっていきます。安いもので五〇〇円から、数万円の値段がつくこともありました」

小コレクターの会で扱っていた版画の価格が抑えられていたのは、摺師である岡部徳三の協力によるところが大きい。岡部はシルクスクリーンの草分けで、草間彌生、池田満寿夫、磯辺行久、瑛九、靉嘔、オノサト・トシノブらの版画作品は彼の手で生み出された。のちに美学校で教え、優れたプリンターを育てている。

小コレクター運動を久保が進める目的は二つあった。「一つはこの運動によって小コレクターがたくさんふえ、かれらがいままで無関心であった美術に切実な関心をよせるということである」「第二の目的は、美術ジャーナリズムがその実力を正当に評価しないために不遇な位置にいる作家を支持し、これを社会にひろめる役割を果たす」(久保貞次郎「小コレクター運動のすすめ」『版画蒐集の秘訣　久保貞次郎・美術の世界9』「久保貞次郎・美術の世界」刊行会、一九八七年)ことだった。

戦後に復活した既存の美術団体や、そこから分かれた美術団体が新しいヒエラルキーを築いていた。それらの団体に受け入れられなかったり、入会してもあきたらなかったりする若い画家たちは自主的に活動するための小さなグループを作っていた。久保が深く関わった

「デモクラート美術家協会」もその一つである。

デモクラート美術家協会を作った画家の瑛九は、久保の生涯の友であり、助言者だった。一方、瑛九にとっての久保は、良き理解者であり、最大の支持者だった。

そもそも久保が美術に興味を持つきっかけをつくった人こそ、久保が二六歳で出会った瑛九だったのだ。

久保がデモクラート美術家協会の会員になることはなかったが、外からメンバーを支え続けた。瑛九や北川民次はもとより、オノサト・トシノブ、池田満寿夫、靉嘔、泉茂、木村利三郎といった若い人たちにも、「油絵だけで生きていくのは難しいから、版画をやるよう」久保は勧めた。そして彼らの作品を購入するのみにとどまらず、自身が版元となって、作家たちに制作を依頼して数多くの版画集を出版していった。この作家に版画をつくらせたいとなったら、プレス機をはじめ道具一切をその作家のアトリエに送りつけ、作家がつくらずにはいられないようにしたのだという。

一九五四年に久保はとびきり魅惑的な詩画集を企画刊行している。瀧口修造の詩一篇一篇に、北川民次、瑛九、泉茂、加藤正、利根山光人、内間（青原）俊子の版画を組み合わせた『スフィンクス』である。限定五〇部発行されたこの詩画集を一度は目にしたいものである。

「日本の現代美術は、版画から普及していった。その流れをつくりだした人こそ久保貞次郎先生です」と実川は言う。

「ぼくは久保先生から版画のおもしろさを教わりました。久保先生の版画についての思想はこうです。日本には浮世絵の歴史があるし、日本人がずっと住んできた木の家には軽やかな版画が似合う。版画は庶民的な開かれた遊びなんです。芸術をふつうの市民のものにするためには版画の普及が大切という久保先生の考えに、ものすごく影響を受けました」

久保貞次郎は滝川製贋作事件の当事者としても美術史に名を残している。

久保は二九歳になる一九三八年八月から翌三月にかけて、児童画による国際親善を名目とした欧米旅行に赴いた。とくにフランスに長期滞在して絵画や美術書を大量に購入している。フランスでは滝川太郎という画家と出会って親しくなるのだが、滝川は実は贋作家だった。そのことに気づかないまま、一九四八年までの十年間でピカソ、マティス、モディリアーニなどの著名な画家たちの贋作を買い、その数は四八点にものぼるという。

久保が滝川の正体を疑うようになったきっかけは、一九四七年に東京都美術館で開催された「泰西名画展」だった。久保が出品した六〇点あまりの作品のうち、滝川太郎から購入した二〇点に対して、画家の硲伊之助が強い疑念を呈して朝日新聞で批評したのだ。十五年後の一九六二年には、神奈川県川崎市のさいか屋百貨店で開催中の「西洋美術展」からルノワールの《少女》が盗まれる事件が起きた。捜査は難航し、所蔵者の藤山愛一郎は、絵が戻ってきたら国立西洋美術館に寄贈すると公約する。一ヶ月半ほどで《少女》は発見され、公約どおり国立西洋美術館に寄贈された。しかし美術館側は「手入れの必要があるので一般公開は遅れる」と発表したままになり、囁かれていた《少女》の贋作説が強まったのだ。

同じ年の秋に発売された「藝術新潮」ではなんと、藤山に《少女》を売った画廊主の西川武郎と、西川の画廊に持ち込んだ久保貞次郎の二人が、《少女》は滝川太郎による贋作であると明言した。対する滝川は事実を否定。久保は一九六四年にも「藝術新潮」で、滝川から贋作を買ったいきさつと、滝川製贋作のすべてを明かした。さらに時は経ち、一九六九年、滝川は取材に応じて自らの贋作活動を誇らしげに認めたのである。

その話を実川は久保自身から何度も聞いている。

「久保先生は贋作をつかまされたことを臆面もなくケラケラ笑いながら話すんです。先生自身がエッセイのなかで、『みずからの敗北をはじめはいやいやながら、やがて自分を軽蔑する精神のバロメーターの一つとしてすすんで認めるように変わっていった』と語っています。狭い心で覆い隠すのではなく、敗北をオープンにすることが被害を受けた日本の西欧絵画コレクターのためになると考えたようです。つくづく大きな人だと思います」

ただものではない恩人たち

「どうしてあそこまで面倒を見てくれたのか」——今振り返っても感謝しきれない先達と実

川はエスパース画廊で出会っている。

その一人、中山久は、日本で初めてアメリカのポップ・アートを蒐集したコレクターとして知られる人物である。

「中山先生は、現代美術のコレクターとして非常に長いキャリアをもつ人です。明治生まれで、知り合った一九六〇年代半ばには七〇歳近かったはずだけど、とにかく枠に収まりきらない。軽妙洒脱な人でした。日本橋の大きな紙問屋の一人息子で、膨大な遺産を親が残してくれたそうです。知り合った頃は東京薬科大学の名誉教授でした。話がずば抜けて面白い。夭折の天才画家として知られる関根正二が同級生で、二科展に出す作品をリヤカーで一緒に運んだそうなんです。『世話になった。作品を持っていけ』と言われたのに、『おまえの描くような汚い絵はいらない』と断っちゃったと平然と語っていました。大正時代からの絵画ファンでしたが、関根正二のような暗い画面は好みではなく、モダンなポップ・アートが大好き。ロイ・リキテンスタインやアンディ・ウォーホルを買って、見せてくれながら説明をしてくれました。ぼくは中山先生の話を聞いてポップ・アートに目覚めたんです。

とはいえ中山先生のコレクションの中心は、李朝の陶磁器であり、外国のタブローも集めるといったように幅広く、質量ともに優れたコレクションを築いていらしたはずです。南画廊の志水さんのことは東京画廊の番頭だった時からの知り合いで、東京画廊の山本孝さんのことは『おい、孝』なんて呼び捨てにしていました。壺中居にも繭山龍泉堂にも『おぅ』という感じで入っていきましたね」

　エスパース画廊で知り合ったもう一人の恩人、今井彰も前衛絵画のコレクターだった。実川が知り合った一九六〇年代は四〇代半ばで、本郷にある医学書専門の老舗出版社、克誠堂出版の社長だった。

「今井さんも中山先生に負けず劣らず趣味人でした。慶應大学の出身で作家の遠藤周作さんと同級生だったんですよね。今井さんは経済学部、遠藤さんは文学部でしたが、同じ授業を受けて仲良くなったんですって。今井さんはフランス語が得意で、フランス語の資料を読むのが大好きという人でした。同じ慶應の同窓生ということで瀧口修造先生とも懇意にされていました。ぼくは今井さんに始終くっついて画廊めぐりをしました。自由が丘画廊を開いてからも今井さんには何かにつけて世話になっています」

　一九六〇年代半ばから後半にかけて、三〇歳前後の実川は、傍目からは公私共に順風満帆に見える。日本全国をまわって土工を集めて関東の現場に連れてくる仕事は成功していた。その後、人材斡旋のための仕組みを実川自らが考えて、新たに会社を設立している。婿入りするかたちで結婚もし、姓を増田から実川に変えた。妻は、小学校時代に東京から韮山に疎開していた、仲間たちのマドンナだった女性である。幼なじみからは「ぼくらの憧れの女性を、いつの間にか暢ちゃんがかっさらっていた」と今もからかわれる。結婚して二年目に女の子が生まれ、目黒区八雲に家を買うほど金もできた。しかし、実川の葛藤は日増しに膨らんでいった。

「人材斡旋の仕事は、人間を大勢扱えば扱うほど大変なんです。当時、ぼくの会社では数百人を斡旋していました。ああいう仕事は手数料をピンハネして儲ける仕事で、家を一軒買うくらいの金は簡単に入ってくるけれど、日増しに罪悪感が出てきたんです。近い将来にはこういう仕事は成り立たなくなるだろうとも思えてきました。そのことに加えて、画廊を回っていろいろな人に会っていると、今の仕事はぼくが本来やるべきことじゃないという気持ちが強まってきたんです。美術にまつわる仕事をすれば、ぼくは必ず成功するという妙な自負もありました」

エスパース画廊で知り合った今井彰は実川よりも十四歳、中山久は四〇歳近く年上で、年齢差はあったものの「絵好き」という共通項のためだろう、二人は実川を可愛がり、連れ立ってさまざまな画廊をめぐった。そうしたなかで実川は「画商になる」という決意を固めていった。

ある日、二人に決心を伝え、「古いものから学んでみたい」と相談した。「それは良いところに目をつけた」と、中山が中国古陶磁器専門の古美術商、繭山龍泉堂の林仙治と会う手はずをとってくれた。繭山龍泉堂は壺中居と並ぶ、古美術の老舗中の老舗で、戦後すぐにニューヨークに進出して、海外の名コレクターに日本美術の名品を紹介したことでも知られている。

繭山龍泉堂の初代繭山松太郎は天才的な目利きだった。二二歳で北京に渡り、ホテルのボーイの仕事をしながら中国骨董の仕入れの術を覚えて当地で古美術商を始めている。帰国して銀座に店を開くのは、一九一六年（現在の京橋に移ったのは一九二〇年）のこと。横河コレクションをつくった横河民輔や細川家の細川護立に可愛がられて一代で巨万の富を築いていった。二代目の順吉は学者肌の経営者だった。その初代・二代に仕えた番頭が林仙治だった。

「当時、日本の美術館に入っている中国美術の名品はほとんど林さんが選んだものだということは、古美術通のあいだでは知られた話です。ぼくは今井さんと連れ立って毎週二回ほど林さんの話を伺うために繭山

1960年代後半。左より繭山龍泉堂の林仙治、今井彰の両氏と実川　写真提供＝実川暢宏

龍泉堂へ伺いました。初代松太郎さんの思い出話に始まり、骨董の見方、買い方、さらには値付けや真贋の見分け方までいろいろ教えていただきました。林さんから学んだなかで真理中の真理だと思うのは、『すばらしい美術品はいつの時代のものでも新しく新鮮に見える』ということ。例えば中国の唐や宋の時代の陶磁器を見ても新鮮な感じがするじゃない。新しいものは脳みそが刺激を受けるよね。刺激の受け方が新しいものでも古いものでもすばらしいものは同じなのね。美術とはそういうものだと、ぼくは思っています。

もう一つ林さんから学んだことで覚えているのは、古美術では作者は関係なく、『良いものは良い。悪いものは悪い』という単純明快さがあるということです。確か古美術の真贋について質問した時に林さんがそう教えてくれました。その時に修練したのか、もともとそうだったのかはわかりませんが、ぼくが絵を見る時には、シンプルに『良い』『悪い』を感じ取るのです。日本人の多くは物語性や文学性といったプラスアルファを感じて絵を評価するようだけど、ぼくは情緒的なものは排除してしまう。それはぼくの絵を見る特性だと今井さんからも言われました。ぼくが扱ってきたのはそういう絵です」

それまでの仕事を実川はきっぱり辞めた。基礎をつくった人材斡旋の会社は長兄に売り、画廊のための資金の足しにした。蓄えがあったとはいえ、若い妻と幼い子どもを抱えながらまったく新しい仕事を始めるのは冒険だと思うが、実川は「まったく悩まなかった」という。

世話になった元請け企業の専務に挨拶した時のことを未だに覚えている。

「土木建築業界が莫大に儲かる時代が来ているのだから残れと説得されました。画商なんて、背景がない人間が夢みたいなことを言うんじゃないとお説教もされました。ぼくはその時、おれは少しくらいの金で満足するような人間じゃないと大口を叩いたんです。呆れるほどの自信家だったんですね。画廊を開くと、その専務はお祝いに来てくれました。年下のぼくを心配してくれていたのだと感謝しています」

Ⅳ　画商への入口

画商は大物をつかめという神話

目黒区八雲に居をかまえた三一歳の実川は、よく散歩がてら自由が丘を訪れていた。ある日、路地裏のマンションに目が釘付けになった。駐車スペースの奥が倉庫のようになってい て、隠れ家のようなこの場所で画廊をやりたいと閃いた。一九六八年、実川はこの場所で実川美術を設立し、思いがけないめぐり合わせによって『有島生馬選集』の出版元として事業をスタートさせた。土木建築の業界から美術の世界に飛び込み、いきなり大物の仕事をするとは引きが強い。

実川が知り合った当時の有島生馬は八七歳。日本芸術院会員、日展理事長という日本美術界の重鎮だった。一方の実川は三一歳。画廊での修業経験もなく、画商になりたい一念から画商にならんと模索している一青年である。まるで接点がなさそうな二人はどのような経緯で知り合うことになったのだろう。

「河口清巳くんという不思議な青年が紹介してくれました。河口くんは、法政大学総長の谷川徹三先生に師事していて、谷川先生のお供で繭山龍泉堂をよく訪れていました。ぼくも中山久先生や今井彰さんに連れられて繭山龍泉堂に遊びにいくなかで河口くんと仲良くなったんです。その河口くんから『有島先生のところへ行こうよ』と誘われたのです」

インテリ風来坊といった風体の河口は、中国美術に造詣が深く、イギリスに留学したことがあるようで英語の文献も読みこなしていた。まったく物怖じしない性格で、有島や谷川という雲の上の人とも冗談を交わし、堂々と付き合う才能を持ち合わせていた。

鎌倉の有島邸を訪れている時、河口は「有島先生は小説や評論を手掛けられているけれど、戦後は有島先生の本が出ていないので二人で選集を出すことには意味があると思う」と話を持ち出した。

「有島先生はニコニコして満更でもなさそうでした。この時にぼくの野心が頭をもたげてきたんです。ぼくには画廊を開きたいという夢がありました。画商という商売は、大物をつかんで、うまくつきあっていかないと儲からないという神話があってね、ぼくはそのことに囚われていたんです。選集を成功させて、有島先生に個展を開いてもらいたいとお願いしようと考えました」

有島生馬と聞いて思い浮かべるのは、日本で最初にセザンヌを紹介したという史実だ。有島は一九〇五年、イタリア留学のために日本を発ち、一九一〇年に帰国するまでヨーロッパを巡った。パリを訪れた折にセザンヌの回顧展を見て感銘を受け、それがきっかけで学校での古典的な指導に嫌悪を感じるようになり、自分のアトリエに籠るほどだったという。

今でこそセザンヌは近代絵画の父と呼ばれ、彼が発見した「多視点絵画」がマティスやピカソ、ブラックがキュビズムを完成させるのに大きな影響を及ぼしたことは教科書に載っているほど有名な話だが、当時の日本では、インテリの間でさえセザンヌはほとんど知られていなかった。帰国した有島はセザンヌを絶賛する文章を「白樺」に発表して、西欧の新しい美術の動向に飢えていた日本人に影響を与えていく。

「ぼくは有島先生のことを、前衛的で新しいものに敏感な人だとみていました。有島先生をとおして、時代を先取りする感覚を初めて知ったと思っています」

実川からそう言われて調べてみると、有島は生涯を通じて前衛芸術を応援した人物だった。一九一四年、官展の権威主義に対して初の在野美術団体、二科会を創設したのも有島や梅原龍三郎というヨーロッパ留学からの帰国組だった。二年後には、日比谷画廊で見出した東郷青児に二科展への出品を薦め、東郷は二科賞を受賞して一躍注目の的になった。東郷以外にも関根正二や長谷川利行、村山槐多という不遇の画家の才能をいち早く評価して支援を惜しまなかった。

「有島先生のお父さんは鹿児島の出身で、有島先生も少年時代に肋膜炎を患って鹿児島で転地療養をしているんです。その影響で東郷青児、山口長男、吉井淳二、海老原喜之助といった鹿児島出身の後輩画家をとりわけ大事にしている。東郷青児は生涯、有島先生のことを慕っていたそうです」

実川は、有島をとおしてさまざまな画家の逸話を聞いた。

「親の代からのお屋敷が麴町にあり、たくさんの画家が集まったそうです。彼らは絵に対する考えも会派も違う人たちで、麴町のお屋敷には立派な黒門があったので黒門会と呼んで、議論をしたり、一緒に展覧会を開いたりしたということです。長谷川利行もしょっちゅう麴町のお屋敷に来ていたらしい。利行はその頃、有島先生の家の女中さんに惚れていて、それで頻繁に立ち寄ったということだったけれど、本当かしら。飲んだくれて金がなくなると無心したり、絵を買えと言って来たりすることもあったみたい。それでも利行は良い画家なんだと、有島先生は軽やかに笑っていました」

有島の家には坂本繁二郎の絵も飾られていた。

「ぼくがその絵について質問すると、『坂本くんという人は若い頃は絵が売れなくて、ヨーロッパから帰って展覧会をやった時に密かに買っておいた』ということだった。有島先生は、自分がいいと思う作家のものは、売れる以前から買っていたわけです。『自分は絵描きとしては大したことはないけれど、画商になっていたら、良い画商になっていたな、アッハッハ……』。いつだったか有島さんがそう言って驚いたことがあります。有島先生は人情があると同時に眼もよかったんです。有島先生は、ぼくが出会ったなかで最も度量の大きな人間でした。日本の美術界のボスであり、面倒見のよい人でした」

さて、河口が編集を担当し、実川が出版元となった『有島生馬選集』は、一九六九年十一月に完成した。サイズはA4判。クロス張りの装丁で、皮の背に金文字でタイトルを入れた豪華な本だ。口絵もボリュームがあり、全二八二ページ。銅版画一葉、石版画二葉付きで限定二〇〇部（定価三万三〇〇〇円）と作品としての価値を持たせた。銅版画一葉付き限定七〇〇部（定価一万三〇〇〇円）の普及版もある。監修は西洋古典文学研究者の呉茂一。武者小路実篤、里見弴、谷川徹三、川端康成といった面々が寄稿している。

刊行出版を記念して「有馬生馬先生名作展」を一九六九年十一月二二日から十二月五日までの会期で開催した。それを機に名称を自由が丘画廊に変え、実川はいよいよ画廊主となった。

澤田政廣氏。1972年に自由が丘画廊で開催された「セルジュ・ポリアコフ展」の折に　写真提供＝実川暢宏

「有島先生は非常に喜んで、出版記念会に集まった日展系の有名画家の先生方に『自由が丘

画廊にこれからも協力してほしい』と声をかけてくださいました。展覧会ではデッサン一点で七、八万円のものが八枚ほど売れました。『有島生馬選集』のほうは日動画廊の長谷川仁さんが一〇〇部買い上げてくださったのが最高で、在庫の山が残ってしまいました」

期待したような順風な始まりとはならなかったものの、自由が丘画廊は動き出した。次の企画展は、韮山高校の大先輩である澤田政廣が引き受けてくれた。

「澤田先生にお願いして仏の墨彩画を展示させてもらいました。当時、澤田先生の墨彩画は人気があり、とてもよく売れました」

有島生馬に澤田政廣、どちらも勲章を授与された文字通りの大物である。「画商として成功するには大物をつかめ」という神話を実践したのだが、実川は虚しさを感じていた。

「大物の絵描きには、どうしてもおべっかを使ってしまうし、お客さんも威張りん坊が多い。三〇歳そこそこの若造のくせにおかしいけれど、ばかばかしくなっちゃった。資金的にも無理なことがはっきりわかりました。前の仕事で儲けた小金がありましたが、大物の作品を買い続けることはできない。画商はいくらお金があっても足りない商売だと気づいたんです。当時、梅原龍三郎などはピカソよりも高くて、一〇〇〇万円はしていたと思います。一方、抽象絵画は二〇万円か三〇万円でしょう。もともとぼくは前衛の抽象画のほうが好きでしたし、そちらのほうへ軌道修正していくことになるのです」

前衛文化が根付いていた自由が丘

自由が丘画廊がスタートして半年ほどが経つと、大家も含めて絵描きたちがふらりと立ち寄って、お茶を飲んだり、会話を楽しんだりしていくようになる。澤田政廣、岡鹿之助、猪熊弦一郎、大沢昌助、久保守、利根山光人、香月泰男という人たちだった。山口在住の香月以外は、自由が丘や深沢、遠くても田園調布や等々力、玉川などにアトリエがあったので、散歩がてら足を延ばしやすい距離にあったのだ。

「みなさん名だたる作家でしたが、どちらかというと前衛寄りの方が集まっていらっしゃいました。抽象画の大沢昌助先生は奥沢のアトリエから毎日のように歩いていらっしゃいました。個展も二度ほど開かせていただいています。大沢先生は午後の三時か四時、夕方と、決まった時間においでになるんです。大沢先生は「偉い人は苦手」と言って澤田先生が来る前に帰っちゃう。澤田先生は日展の理事長でしたからね。大沢先生がいらしている時に、猪熊先生や久保先生が集まることもあったのですが、みなさん東京藝大の卒業生で七〇歳前後。小さな同窓会みたいでしたね。香月先生は山口県にお住まいでしたが、自由が丘画廊の近所に住む装丁家の芝本善彦さんに連れられてたびたびいらっしゃいました。香月先生は戦後、シベリアに抑留されていた体験をもとに描いた《シベリア》シリーズで一躍有名になられました。ぼくの画廊は具象から前衛への過渡期にあったと思います」

日本芸術院会員の洋画家、小絲源太郎が立ち寄ったのもその頃だった。自由が丘にある宝石や高級時計の老舗「一誠堂」が画廊も営んでいて、画廊の番頭を伴ってやって来たのだ。

「小絲先生は偉い画家さんでしたから、一誠堂の番頭さんは平身低頭でヘコヘコしているの。ぼくは小絲先生に対しても平気で言いたいことをしゃべったから、逆に可笑しなやつだと思ってくれたみたいで、『君、絵をあげるから取りにいらっしゃい』と言われたんです。『はーい』と返事してお宅に伺ったら、それなりの画料を告げられました。小絲先生の画料としてはごく当たり前の金額なのですが、ぼくは何も知らなくてタダ同然で貰えると思ったから泡を食っちゃった。そのことをほかの画商に話したら、教えてくれれば金くらい工面したのにと言われました。当時のぼくは、それくらい美術品の商習慣を知らなかったんです」

「画商で成功するには大物をつかめ」という神話には翻弄された実川だが、画廊の場所選びは成功した。

「常識では、画廊は銀座の目抜き通りでかっこよくやるのが最適なのでしょうが、ぼくの考えは違っていました。画廊は趣味人のための場所なので、隠れ家的な要素があって、吹き溜まりのように人が集まるところがいいんじゃないかと思っていました。あの場所は自由が丘駅正面口のロータリーから四本目の路地にあって、駅から二、三分という近さなのに秘密基地みたいに落ち着けた。最初は高い家賃を提示されたんだけれど、ねばって、ねばってようやく借りることができたんです。目立ちにくい場所だから大家の先生方が立ち寄りやすく、待ち合わせにも好都合だったようです」

自由が丘という街には、自由な気風を求める人が集った歴史があることを、三〇代の実川は知っていたのだろうか。

関東大震災が起きた一九二三年当時はまだ、このあたりは東京府荏原郡碑衾町大字衾字谷畑中と呼ばれ、田畑が広がっていた。都市化が進んで郊外に移り住む人が増える状況を察知した大地主の一人、栗山久次郎が中心になって耕地整理組合を組織し、農地を整然とした宅地に作り上げていった。現在の緑が多く整った自由が丘の街路は、その時に大地主たちの英断によって作られたものなのだ。

その後、栗山は先進的な思想をもつ二人の人物を街に受け入れる。自由教育の理想を掲げる手塚岸衛と、舞踊家の石井漠である。手塚と石井は共にヨーロッパ帰りで、パリに行く途中の船で会って意気投合し「一緒に理想郷を作ろう」と話し合う仲だった。前衛的で、日本社会では異端児だった二人に栗山は共感して土地を提供した。そのおかげで手塚は、一九二八年に自由ヶ丘学園を創設した。自由ヶ丘という言葉は、その際に手塚が作った。「自由学園」の名称はすでに羽仁もと子・吉一夫妻が設立した学校に使われていたため、手塚は学校の敷地に小山を見つけて無理やり「自由ヶ丘学園」と名づけたのだ。

一九二八年には石井も石井漠舞踊研究所を開いた。秋田出身の石井漠を慕う文化人は多く、彼の秋田人脈から、小説家の石川達三と石坂洋次郎、写真家の藤原正らが越してきた。藤原は藤原写真場を自由ヶ丘に開いている。藤原し澤田が親しく、写真場と画廊が近所だったことから、実川もすぐに藤原と親しくなった。

「石井漠さんはものすごく人望があったと藤原さんからお聞きしました。モダンダンスで世界的に活躍された方で、弟子の一人に大野一雄がいます。その頃の写真館は文化の中心地で、藤原写真場にこのあたりの文化人が集まったみたいですよ」

この街に住む文化人たちは、仲間と手紙をやり取りする際に、勝手にこの村の住所を「自由ヶ丘」と書いて出し、やがてそれが通用するようになってしまった。一九二九年には駅名が自由ヶ丘と改称され、町名も正式に自由ヶ丘となった。自由が丘（一九六五年の住居表示実施時に「自由が丘」と、「ヶ」がひらがなになった）は、芸術とモダニズムを愛する人たちが大切にした名前だったのだ。その空気は戦後にも引き継がれ、集まった芸術家や文化人たちは自由ヶ丘文化村を結成した。一九四七年のことである。村長の石井漠のほかに、東郷青児、岡本太郎、宮本三郎、小絲源太郎、岡田謙三、日本画家の福田豊四郎、澤田政廣、小説家の石川達三、石坂洋次郎、随筆家の渋沢秀雄、作曲家の山田耕筰、伊福部昭、作詞家の石井歓、詩人の大木惇夫、舞踊家の江口隆哉、写真家で日大芸術学部写真学科を創設した金丸重嶺、劇作家の伊馬春部、ジャーナリストの末松満など、さまざまなジャンルの文化人が集まっていた。

日本人好みのケーキ、モンブランを日本で最初に作った自由が丘「モンブラン」。店には自由が丘文化村村民の一人、東郷青児の壁画が今も飾られている。ロゴと包装紙も東郷のデザインである。一九三三年に碑文谷駅（現在の学芸大学駅）付近でモンブランを創業し、一九四五年に自由が丘に移転した創業者の迫田千万億は、鹿児島県屋久島の生まれ。同郷の東郷と迫田は、家族ぐるみのつき合いをしていた。

「モンブランの社長が、それこそケーキのモンブランを二〇個も三〇個も抱えて『これ食べて』と立ち寄ってくれたことが何度かありましたよ。山口長男さんが画廊にいらした時には、逆にぼくがモンブランのケーキを買ってくることもありました。山口先生も鹿児島出身で、東郷さんやモンブランともつながっていたんです」

「小コレクターの会」の会場になる

開業すると思いがけない話が舞い込んできた。

「南画廊では、海外の画家たちが、英語が得意な志水さんを頼りに東京にやって来るようになり、志水さんは多忙になっていました。ある日、志水さんから呼ばれて南画廊に行くと、『君の画廊で尾崎さんの会を引き受けてくれないか。客層が広がるし、コレクターがついてくる。現代美術が好きな人もいるよ』と志水さんから勧められたんです」

実川は久保貞次郎とも交流があり、これからの画廊なので小コレクターの会の会場に最適だと志水は考えたのだろう。実川にしても、画廊を開いたものの、今後どの方向に行くべきか悩んでいた。大家の作品を売って儲けることよりも、今

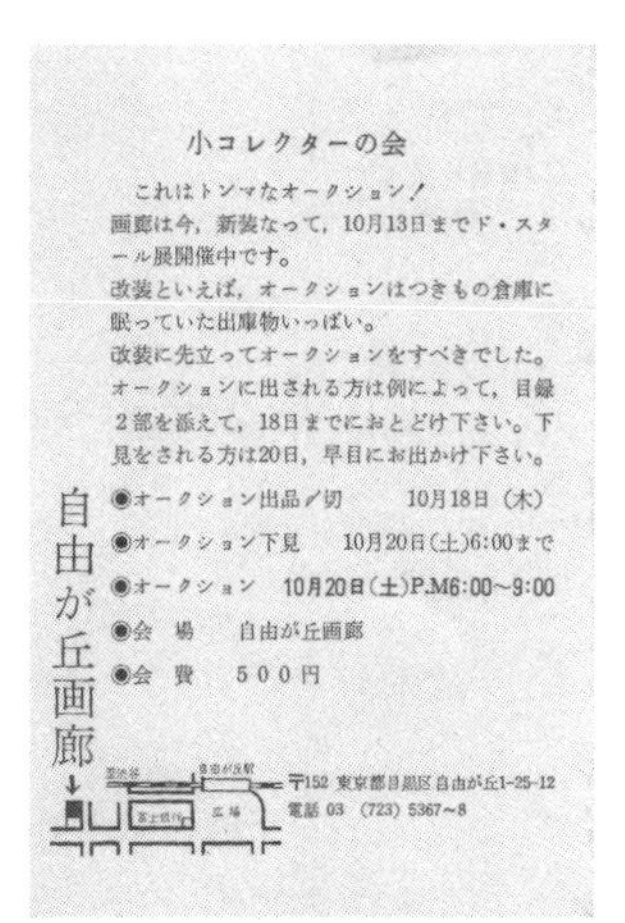
小コレクターの会

これはトンマなオークション！

画廊は今，新装なって，10月13日までド・スタール展開催中です。

改装といえば，オークションはつきもの倉庫に眠っていた出庫物いっぱい。

改装に先立ってオークションをすべきでした。

オークションに出される方は例によって，目録2部を添えて，18日までにおとどけ下さい。下見をされる方は20日，早目にお出かけ下さい。

◉オークション出品〆切　10月18日（木）
◉オークション下見　10月20日(土)6:00まで
◉オークション　10月20日(土)P.M6:00~9:00
◉会場　自由が丘画廊
◉会費　500円

自由が丘画廊
〒152 東京都目黒区自由が丘1-25-12
電話 03 (723) 5367~8

1973年10月20日に開催した「小コレクターの会」案内状

1973年6月23日、自由が丘画廊で開催された「小コレクターの会」。右に立ち、絵を持っているのが尾崎正教。左横で見上げているのが石原悦郎　写真提供＝実川暢宏

に生きる前衛的な作家を応援するという久保貞次郎の志は、本来の自分の考え方にも近いのではないか。そう感じていたこととも重なって、実川は志水の提案を快諾した。

「小コレクターの会を開催するには、集会許可などの届け出が大変で、手続きのために碑文谷警察署に日参しました。それでも最初の会には、自由が丘の交番のお巡りさんが立ち会ったんですよ。参加者は、久保先生が提唱した創造主義美術教育運動に共感する幼稚園や小中学校の先生たちが中心でしたが、久保先生が当時教えていた跡見学園短期大学の学生を連れてきたり、近所の人が子ども連れで来たり。会場に入りきれないほどの人が集まって、窓に腰かけていた人もいました。

司会進行役は南画廊と同じ尾崎正教さんです。最初はアミダくじ。十円のアミダで、景品は池田満寿夫やオノサト・トシノブの版画なんだから、初めての参加者はびっくりしていました。オークションは五〇円から始まります。五〇円はピース一箱の値段でしょう。今なら五〇〇円くらいかな。終値は一〇〇〇円とか二〇〇〇円でした。瑛九、靉嘔といった作家の版画、デッサン、水彩、油絵など。出品作品には吉原通雄や元永定正といった具体の作家の作品もありました。一時は棟方志功やアンディ・ウォーホルの作品も出ていました」

小コレクターの会は、二ヶ月に一度の割合で開かれた。初期の頃にＮＨＫで美術ブームについての特集番組が放送され、自由が丘画廊での小コレクターの会が大きく取り上げられたことがきっかけでお客さんは一気に増えていった。

「またまた交番のお巡りさんの出動となりました。主宰者である尾崎さんの人柄と話術は、そのお巡りさんまで仲間にしてしまうのです。その時も会の終わりに尾崎さんは、『ご苦労様でした。これを交番の壁へでもかけて楽しんでください』とお巡りさんに版画を差し上げました。『どういう絵なんですか?』『今世界で話題になっている、日本を代表する絵描きのオノサト・トシノブのものですよ』『困りますよ、そんなに偉い人の絵を』『いいんですよ、同じ絵がたくさんあるでしょう。これは版画といって、同じものを何枚か刷るんですよ。ぼくはこうした絵が日本中に広がるようにオークションを開いているんです』『はあ、それでは遠慮なくいただきます』――次のオークションでは、そのお巡りさんも参加して版画を買っていくのです。尾崎さんには人を魅惑する力があふれていました」

駒井哲郎のマザーギャラリー

小コレクターの会が始まったのと前後して、思いも寄らない人が自由が丘画廊に現れた。ソフト帽をダンディにかぶった長身の男性、版画家の駒井哲郎だった。

実川と駒井の出会いは一九六六年、駒井が安東次男との詩画集『人それを呼んで反歌という』をエスパース画廊から発刊した時だった。駒井が詩人の安東と才能をぶつけ合いながら高い次元の作品として完成させたもので、限定六〇部のほかに、サイン入りが数十部発売された。原画展でこの本を買ったのを機に、実川は駒井と話すようになっていた。

「一九六九年の十二月だったと思います。息子の友だちを読んでクリスマス会を開くことになり金が必要になった。版画が二〇枚ある。一点いくらで買ってくれるかと聞いてきたのです。ぼくは相場を調べもせず、一点一万円でどうでしょうかと答えました。駒井先生はそれでいいと商談はすぐに成立しました。まとまった金がなかったので銀行に駆け込んで現金をおろしてお渡ししました。翌日、また二〇枚ほどもっていらっしゃいました。そしてぼくに言うんです。『実川さんはどうして一点一万円で引き取ってくれたの。銀座の画廊では、ぼくの版画は一点二〇〇〇円から三〇〇〇円でしか買って

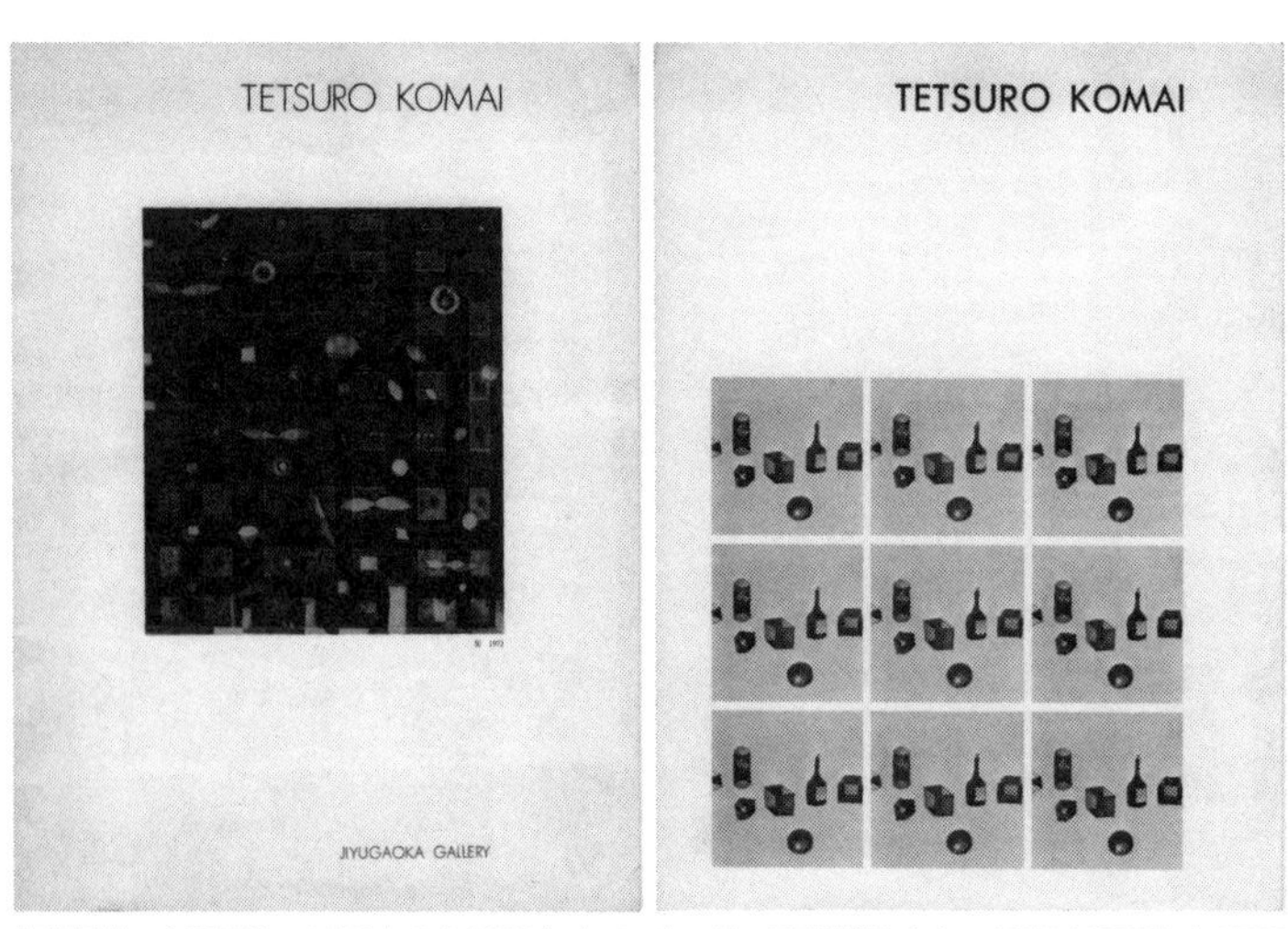

駒井哲郎の企画展は、1971年から1981年までのあいだに5回開催された。写真は1973年と1975年のカタログ

くれないんだよ』と。

正直に話す駒井先生にも驚きましたが、駒井先生の人気と実力に比べて銀座の画商がつけた評価の低さに唖然としました。十万円分しか購入できないと伝えると、駒井先生は、残りはあなたにプレゼントするといわれました。そして、一点一万円で買ってくれるのなら、これからあなたにまかせたいと言ってくださいました。それが駒井先生との始まりでした」

一九七一年には、自由が丘画廊で初の駒井哲郎展が開催された。実はその翌年、それまで駒井の個展を行っていたエスパース画廊が閉廊することが決まっていた。実川がエスパース画廊で知り合った今井彰と駒井とは同じ慶應大学の同窓生で、駒井も今井に信頼を寄せていた。その今井の推薦もあったのだ。そうして次第に主要取り扱い画廊となっていく。

「駒井さんはとても優れた作家です。日本人には珍しく、ほんとうに幻想を見ることができ、幻や夢を表現し続けた人でした。画商になったばかりのぼくを信用していいのかどうか迷ったと思います。それでも扱わせてくださった男気に報いたくて、ぼくも駒井さんと心中する覚悟で作品を売る決心をしました。けれどもその時はまだ、先輩画商からの売り浴びせについては想像もしていませんでした」

しばらく経ったある日、実川は南画廊の志水から呼ばれた。「駒井の作品が一〇〇枚ある。どうだ」とバックヤードに収蔵された作品を見せられ、実川はその一〇〇枚を買うことにした。志水の場合は好意で譲ってくれたのだが、その後、「駒井の作品を自由が丘画廊が一万円で買った」という噂が銀座中の画廊に広まり、複数の画廊から駒井作品を浴びるように買わされた。その点数は約三〇〇点に及んだ。駒井哲郎のマザーギャラリーになったのだから、そのくらいのことはしろということだったのだろう。生意気な新参者に対するある種の懲しめである。駒井の版画は当時から人気があり、先輩画商も注目をしていた。だが、個人の愛好家が個展のたびに買う状況までにはなっていなかった。兎にも角にも、実験工房にも参加した前衛の版画家、駒井哲郎を扱う機会を得て、実川は必死で現代美術を売ることを考えていくことになる。

若き協力者たち

一九七〇年の自由が丘にはさらに思いがけない出来事があった。

東京藝術大学油絵科を卒業したばかりの青年が「ぼくをアルバイトに使ってください」と言ってきた。その青年とは、現在、ドイツで活躍する画家の三川義久である。

「彼は自由が丘の商店街のはずれで牛乳とパンを売る商店の息子でした。自由が丘画廊を開いた直後から毎日、牛乳配達のあとに画廊をのぞいていくので顔は知っていました。驚いたことに、彼は東京藝大を卒業したばかりの画家の卵でした。お父さんが働かないと人間はダメになるという考え方の人だったため、卒業後も定職につかないことを気にしていました。

賃金はいくらでもいいというので手伝ってもらうことにしました。自由が丘画廊で働こうと思った理由を聞くと、『時代をつかんでいるように思えたから』と言ってくれました。

三川さんはアルバイトというより協力者でしたね。画廊は暇で時間は余るほどあったから、彼とは本当によく話をした。勉強家で、世界の最新の美術情報を知っていました。そして、『今後の美術では、現代美術が拡大するだろう』と言うんです。ぼくも画廊を始める前から山口長男先生の絵を買っていたし、久保貞次郎さんとも出会っていた。オノサト・トシノブや瑛九、靉嘔などにも興味を持っていたから三川さんの話には大いに触発されました」

三川は一年半ほど自由が丘画廊で働き、一九七一年、西ドイツ国立デュッセルドルフ美術大学に留学するため、妻とともにドイツに渡った。

「三川さんが日本で展覧会をする時には必ず応援するという約束をしていました。一九八二年、三川さんから『ぼくもドイツでそれなりになったので、そろそろお願いします』という連絡を受けて、日本での初個展を自由が丘画廊で行いました。その後、三川さんはドイツの画商と組んで、オランダ、ニューヨーク、イタリアで展覧会を開き、自由が丘画廊でも全部で五回展覧会をしています。三川さんは、ぼくにとっては久保先生と同様に、現代美術への啓蒙者だったのです」

この年には、三川以外にも二人のスタッフが加わった。一人は、三川同様に東京藝大油絵科を卒業したばかりの石若眞理子である。三川とは藝大の山岳部で一緒だった。

「わたしは実川さんより十歳年下だから一九四七年生まれ」と言う石若は、戦後の第一次ベビーブーマー、いわゆる団塊世代だ。

「中学から入った田園調布雙葉でも山岳部だったんです。開業医だった父が、戦後は男も女も平等だという考えで、自由にしたらいいとわたしを導いてくれた。藝大でも全共闘運動は行われていたけれど、わたし自身はモラトリアムで傍観者でしたね。大学を卒業しても働かずに家にいたんです。三川さんからも声をかけられたし、両親が自由が丘画廊に絵を買いに行ったらしく、よさそうだから働いてみたらと言ってくれたんです」

石若は七〇代になった今も美しく、ボヘミアンな雰囲気がある。

「眞理ちゃんは、偉い画家や評論家が何を言おうが、どこ吹く風といった感じで飄々としているでしょう。そして、いつも何時に出勤するかわからない。でも良いキャラだったんだよね」と実川が言うと、

「そう、わたしは午後四時からの女なの。いつも夜中に起きているから、藝大の時も午後四時から学校に行っていた。自由が丘画廊はすぐやめようと思っていたしね。でも実川さんが、いればいいじゃんって言ってくれたから、結局、一九七六年までいたのよね。実川さんはわたしがそれまで見てきた大人にはいないタイプでした。古美術をはじめ幅広い知識を持っていたし、美術のことでもわたしが本でしか見聞きしていないことを実体を伴って教えてくれたから飽きなかったですね」と石若が答える。

1974年、セルジュ・ポリアコフの版画の前で。左より石原悦郎、竹内啓子、石若眞理子の各氏と実川　写真提供＝実川暢宏

一九七〇年に出現したもう一人の助っ人は男性だった。スタッフと呼ぶにはあまりにも自由奔放な、けれども美術に詳しいうえに、彼がいるとその場が楽しく盛り上がる、枠に収まりきらないすごいタレントの持ち主、石原悦郎。のちに日本で初めて写真をアートとして売る画廊ツァイト・フォト・サロンを開いた男である。

「石原くんと初めてあったのは一九七〇年の春、銀座五丁目のギャルリー・ムカイでした。ムカイへ行く前にぼくは日動画廊でフェリックス・ラビッスというフランスのシュルレアリスムの作家の絵を買って手に持っていたんです。その絵は二〇号くらいの大きさだったかな。ずっと前に国際形象展に出品されていたのを覚えていて、なんでここにあるのか不思議だったんですよね。しかも、絵が逆さまにかけてあったの。日動画廊はそれくらい現代美術に関心を持っていなかったんです。日動画廊の倉庫には現代美術が眠っていることをぼくは知っていたので、時々掘り出しもの探しに出かけました。フェリックス・ラビッスの作品は思ったよりも安い値段だったので、言い値で譲ってもらいました。

『何を持っているの』と石原くんが聞いてきたので、『逆さにかかっていた絵だけれど、安かったので買って来たんだよ』と答えました。『見せてくれませんか』といわれたので一緒に眺めていると、石原くんが『人の気づかないものを安く買ってきて高く売るというのも悪くないね。実川さん、ぼくを使わない?』と突然言いだしたのです。『給料、払えないよ』と牽制したのですが、彼は『そのうち行きますよ』と言ってその日は別れました」

それから二日も待たずに石原は自由が丘画廊に顔を見せた。ベンツに乗ってやって来たところからして只者ではない。すでに三一歳になっていた石原は、立教大学法学部を卒業したあとも大学に研究生としてとどまり、法律の勉強を続けながら銀座の画廊でアルバイトをするという風流才子だった。

スタッフになったといっても石原が事務仕事をするわけではない。石原は銀座のいくつかの画廊とパイプを持っていたので、地元の客から自由が丘画廊に持ち込まれた高野三三男や藤谷虹児などの具象の絵を適切な価格でさばき資金を作ってくれた。そしてなりより石原は話が上手でおもしろく常連客に人気があり、欠かせない存在だった。実川と石原はどちらも桁外れに鷹揚で、風来坊的な気質があるところが共通している。そんなこんなでウマが合ったのだろう。

のちに実川の右腕となり自由が丘画廊に欠かせない存在になった竹内啓子が入ってきたのは一九七三年である。一九五〇年生まれの竹内は、中央大学法学部をドロップアウトした逸材で、当時二三歳。ショートヘアのパワフルな女性だった。

「大学に入った一九六九年は大学紛争がまだ盛んで、大学はロックアウトしていました。わたし自身、いろいろごたごたがありまして、大学を辞めてふらふらしていたんですね。のちに久保貞次郎先生の秘書になる従姉妹の岩瀬久江が、自由が丘画廊で人を募集していると教えてくれて、腰掛けのつもりで行ったら、本当に面白いところだったんですよ」

実川は竹内のことを、「最初は、じゃじゃ馬が来ちゃってどうしようかと思った」と笑う。「竹内さんは強気でおれらに食ってかかって来るから、最初は本当にたいへんだった。久江ちゃんとは以前から親しかったんだけど、久江ちゃんはえれぇ娘をおれに押し付けやがってと思いましたよ。でも、竹内さんはだんだん柔和になってきたし、本質的にストレートで楽しい人なんです。第一、竹内さんは仕事ができる。おれと眞理ちゃん（石若）はいい加減だからね、竹内さんがいてくれて助かりました」

夜になると、美術の話題で盛り上がり、みな帰ろうとしない。

「石原くんのお父さんが『画廊はそんなに毎日のように遅くまで働くところなのか』と心配したくらい、みんな居残って話し込んでいました。充実感はあるし、愉快だし、帰るのがもったいないと思うほどでした。それぞれ海外の美術情報にすごく通じていました。三川くんはドイツへの留学を計画していたし、石原くんもヨーロッパへ短期の語学留学に行ったりしていた。眞理ちゃんも度々ニューヨークに長期滞在しては戻ってくるという感じでした。それに現代美術がこれからどうなるのか、みんな真剣に考えていたんだよね。ぼくも画商になることで、以前よりも美術と真摯に向き合うようになっていました。ほんとうに良い絵は何かとか、何を紹介すべきかとかね。彼らとの対話がどれほど糧になったか言い尽くせませんん。一九七四年に自由が丘画廊で開催した『フランク・ステラ』展は、眞理ちゃんが企画してくれました。彼女がニューヨークと東京を行き来するなかでステラを発見したのです」

　みな若かったから、馬鹿なこともやった。

「夜暇な時は車座になって花札でおいちょかぶをやっていたんですよ。ちょうどその頃、画家の香月泰男先生の次男である香月理樹さんが学生で自由が丘に住んでいてね、よくやって来てぼくらと一緒に遊ぶんです。ある日、香月先生から絵が送られてきたの。『息子が世話

1974年、「フランク・ステラ展」を開催（9月16日〜10月15日）
写真提供＝実川暢宏

になっているお礼に』ということだったのですが、香月先生の絵は高価でうちの力量ではとても画料をお支払いできない。小絲源太郎さんの時の苦い経験があるので、香月先生の取り扱い画廊である『フォルム画廊』へ行き、当時は番頭だった藤田士郎さんに相談して扱ってもらいました。おかげで香月先生へお支払いすることができたし、ぼくもいくばくかのお金を頂きました。香月先生は、貧乏画廊なのを気の毒に思ってくださったのだと思います」

石原は一九七〇年代前半、法曹界に後ろ髪を引かれつつもパリやミュンヘンに語学留学をして芸術への道を模索し、一九七八年、日本橋室町でツァイト・フォト・サロンを立ち上げることになる。石若は、数ヶ月ニューヨークに滞在しては帰国してしばらく自由が丘画廊でアルバイトをするような時間を過ごし、やがて手芸の世界で道を切り開いていった。そして竹内は、久保貞次郎をはじめ、山口長男、岡鹿之助といった重鎮から信頼を寄せられて自由が丘画廊になくてはならない存在になり、三六歳で美術商として独立した。

自由が丘画廊は商売を営むところであるのに、大らかで、澄んだ空気が流れていた。もちろん、知的で鋭い感性の持ち主たちが集まっていただけに、互いを研磨する張り詰めたものも漂っていただろう。ともあれ、美術に惹かれる二〇代三〇代の人たちが、これから自分をどう活かし表現するかをゆっくりと考えるには最適な場所だった。訪れた人にすれば、社会がつくったレールから外れても、こんなに愉快に生きられるんだと感じさせる所だったかもしれない。そうした空気もまた自由が丘画廊の魅力のひとつだったに違いない。

V

新星と先駆者

現代美術のスターとの出会い

現代美術に方向性を定めた一九七〇年代前半、自由が丘画廊の内装が一新した。大きな窓のまわりと、店内の壁、床は赤煉瓦貼り。煉瓦は使い込むと、少し削れたりして深みと味わいを増すので、あえて安物の煉瓦を選んだ。海外からの絵を梱包していた木箱をリサイクルして、ステンシルのアルファベットで「JIYUGAOKA GALLERY」と刻んだ看板は、石若眞理子の手づくりだ。パリのギャラリーのような雰囲気になった。

ある日、女子高校生が母親と一緒に自由が丘画廊を訪れた。壁に飾られた李禹煥の絵を見るとその前に立ち、バレリーナのように踊るそぶりをして、「わたし、この絵がほしいな」とつぶやいた。

「傍らにいたぼくは、高校生の女の子が『好きだわ、買いたい』というのを聞いてものすごく驚きました。彼女は田島直人さんというベルリンオリンピックの陸上競技で金メダルをとった人のお孫さんでした。お母さんが、『わたしがなんとかするから、大事にしようね』と言って買っていかれました。ぼくにも同じ年頃の娘が二人いるので、彼女たちに李さんの絵をどう思うか聞いてみたんです。すると『わたしもいいと思う、好きだわ。音楽みたいじゃない？ 軽やかで気持ちがいい。パパがこれまで扱っている絵はズーンと重たい感じがするけれど、これはわたしたちのリズムに合う』と言われて、今までとは違う世界が出現したように感じました。事実、この頃の美術家の卵たちは、李さんの作品に熱に浮かされたように注目し、李さんは現代美術のスターになろうとしていたのです」

今では世界のアートシーンにおいて唯一無二の地位を確立している李だが、その名が日本の現代美術の世界で知られるようになったのは、一九六〇年代後半から七〇年代初頭にかけて現れた「もの派」という美術動向によってだった。

再び鎌倉の李禹煥の画室での、李の話に耳を傾けたい。

「『もの派』は誰かがつけた蔑称だったけれど、ものにこだわったわけじゃなくて、作ることより、ものとものの関係や場に力点を置いて、世界のあり方を再提示する方法だったのです。石や木という自然素材だけではなくて、ガラスとかオイル、セメント、電球などの工業製品も組み合わせて使っています。戦後の消費物質文明の矛盾が世界的に批判された時代に生まれた運動だったのです。アメリカではアースワーク、イタリアではアルテ・ポーヴェラ（「貧しい芸術」という意味）など同時多発的に出てきました」

李自らも石とガラスを用いた作品を発表していた。李は当時から文章や詩を手掛けており、「もの派」の作品を理論化する人物として評価されるようになっていく。

李が、絵画作品の発表を始めたのは一九七三年、《点より》《線より》というシリーズからである。日本画の絵具を浸した筆を用いて、《点より》は左から右へ水平の点のようなフォルムを繰り返し、《線より》は上から下へ直線が一気に引かれている。いずれも絵具は付け足されることがなく、絵具の濃度も徐々に低くなっている。筆による反復の動きはキャンバスの上にリズミカルな空間を産み、十代の少女たちには、それが音を奏でているように感じられたのだろう。

李が絵画を制作するようになったのは一九七一年、ニューヨークのMoMAでバーネット・ニューマンの大回顧展を見たことがきっかけだった。

「その頃、日本では絵画は終わったという話が出ていて、絵は大手を振って描くものじゃないという空気がありました。だから『もの派』も物質的なものと空間的なものを扱うのが一般的でした。そんななかで、バーネット・ニューマンの作品を見て勇気を得ました。それは絵画における空間的な展開だったからです。ぼくなら何ができるだろうかと考えました。幼い日に学んでいた書の記憶が蘇り、点を打ったり、線を引いたりすることで、絵画で時間を表現できると閃きました。日本に戻り、《点より》と《線より》のシリーズを始めることになったのです」

李の作品に大いに感じるものがあって画廊で扱うことを決めた実川だが、正直に顧みると、娘たちがそうだったようには、ぱっと見て好きだ、と言い切ることはできなかった。それでも「何かあるというザワザワした感じ」が残った。実川は身近に置いて毎日毎日見続けた。本当に良い作品は、最初はわからなくても、見続けていると、未来を教えてくれることがある。この作家は偉大になる、価値が上がる、といったように。

現代美術の世界で頭角を現しつつあった李は当時三七歳。一九五六年に来日して十七年が経っていた。

李はどんな経緯で来日することになったのだろう。

「ソウル大学に入学して美術の勉強を始めて二ヶ月経ったところでした。日本にいる父の弟が病気になり、夏休みに漢方薬を届ける目的で日本に来ました。

ぼくは小学校二年生で終戦を迎えています。朝鮮は日本統治下にあったけれど、ぼくが育ったのは田舎だったので日本語を習っても覚えていない。つまり、日本に来ても日本語がわからないんですね。叔父は日本で勉強をしていきなさいと言って帰してくれない。戦前から外国人に日本語を教えていた拓殖大学で勉強を始めて、日本大学の文学部哲学科に編入しました。でも哲学を勉強しにいったのではなくて、理論、理屈を勉強しておけば、何をするのでも武器になる、高校生の時からそう考えていたんです。

うろうろしていても食べられないので、一九六三年頃、朝鮮奨学会（日本で勉学している韓国籍・朝鮮籍の学生を支援するための奨学育英機関）でアルバイトを始めました。朝鮮奨学会は今も新宿西口の中央通り沿いの新宿ビルディングにあります。一九六六年に、新宿ビルディングの地下に『ギャラリー新宿』ができて、ヨシダ・ヨシエさん、中原佑介さん、東野芳明さん、石子順造さんたち美術評論家や、赤瀬川原平ともそこで知り合うのです」

この頃から制作を始め、美術の世界へと引き込まれていくことになるのだが、長い間、アーティストであることに誇りが持てなかったと言う。

「ぼくが生まれ育った慶尚南道(キョンサムナムド)の竹林に囲まれた山の村は儒教色の強いところでした。父は新聞記者でした。父の友人で若い時に中国に留学していた文人であり、画家でもある人が、年に何度もうちに滞在して家庭教師みたいにぼくに詩と書と画を教えました。その先生が、君は器用だけれど、大きくなっても絵描きになるんじゃないよ。政治家か学者にならなくちゃいけないと言ってきかせたのです。それがつい最近まで頭にこびりついていたんです。

一九六七年にギャラリー新宿で『幻触展』を見てびっくりしました。グループ幻触は、美術評論家の石子順造さんの理論に影響を受けて、トリッキーな仕事をしたアーティストの集団で、静岡を拠点に活動していました。作品は、立体に見えるけれど平面だったり、鏡に映し出されているのは虚像であったり、まともじゃないものばかり。目の前にあるものは信用できるものじゃない、そう言っているかのようでした。一九六〇年代当時、日本でも外国でもオプ・アートが流行っていたんです。色でも模様でも攪乱させて、ピカピカ、ギラギラしてまともにものが見えない。目の前にあるものを信用しちゃダメだというのがオプ・アートの思想でした」

李禹煥と「もの派」

一九六八年、李は関根伸夫と出会っている。二人にとってはもちろん、前衛美術にとっても重要な出来事だった。

「関根と知り合ったのは、ぼくの記憶では一九六八年の春です。関根はその前に椿近代画廊かどこかで会っているはずだと言うけれど、ぼくは一九六八年の春の銀座シロタ画廊だったと覚えています。すぐに親しくなって、恋人じゃないのにほとんど毎日会って議論をしていました。関根はそのつど、吉田克朗だとか小清水漸などいろいろな人を紹介してくれました。新宿西口にトップという喫茶店があって、コーヒーを二杯は飲んだかな。何をそんなにしゃべりたいことがあったのか。ぼくは三二歳、関根は二六歳でした」

関根は一九六八年十月、その後「もの派」を象徴する作品となる《位相―大地》を、第一回神戸須磨離宮公園現代彫刻展に出展する。

「《位相―大地》については、制作する前から関根に話を聞いていて、頭のなかでイメージを膨らませていましたが、実際に見てかなり興奮しました。それは大地にすぽっと開いた穴とまったく同じ高さ、直径に固められた土の円柱なのですが、埋めてしまえば何もなくなってしまうけれど、置くことによって大地のあり様が見えてくるというものです。トリックのようだが、トリックではない。どちらともいえない、あること、ないこと。それを示す極めて象徴的な仕事になったわけです。この作品が無かったら、ぼくはその後もずっと自分の作品を変えられなかったかもしれません。

もの派は、誰も相談したわけでもないのに、わっと広がってみんなグルになりました。ほんとうに不思議です。そのことが大事。喧嘩もしたけれど集まりました。誰が言い出したかわからないけれど、もの派の連中はまともに絵を描けない、彫刻は造れない、ただものを放り投げているだけということで片付けられていた。それでも一九六〇年代から七〇年代には、もの派の影響力はあったと思います。アートは時代の空気が作り上げるんです。その時代の空気が過ぎると空中分解になってしまうのです」


時代的にも一九六〇年代後半は、ベトナム戦争や日米安保条約改定への反対運動など全共闘が意味を持っていた。

「全共闘をめぐって三島由紀夫と高橋和巳は対談をしていますが、三島は自決し、高橋は『わが解体』を発表して病死します。日本は高度成長を遂げて経済大国になったものの、このままではこの文明に先がないことが見えてきた。自分がそれまで学んだものを解体する、いったんバラすということが大きな方法論になってきたのです。

美術だけでなく演劇でも音楽でも同じ様なことが起こりました。武満徹や一柳慧とは当時親しくしていました。彼らも新しい音をかき集めて組み立てることをやり、ちゃんとした楽器で演奏することには興味を持っていなかった。演劇も唐十郎や寺山修司とか、舞踏の土方巽と大野一雄とかいろいろな人たちが自分の身体を使って表現をしていた。ぼくは彼らとコラボはしていないけれど、陰に陽に交流はありました。文学でも古井由吉や中上健次とはすごく近しかった。

ギャラリー新宿から五〇〇メートルくらい離れた広場では唐十郎が紅テントを引っ提げて劇をやっていて、ニセの警察官がホンモノの警察官を追いかけて大乱闘をしたりしてすごく面白かった。新宿ビルディングの外には、サイズが合わなくて使われなかったガラスがいっぱい並べてあったんです。ぼくはそのガラスをパンパン割るようなハプニングをやったんです。それも毎日、何日間もやりました。最初は暴力だった。でも長いあいだやっていると暴力だけではダメだと考えるようになりました」

李は一九六九年、京都国立近代美術館での「現代美術の動向展」に選ばれて、大きな石の重みによってヒビの入ったガラス板でできている作品を正式に出品した。のちに《関係項》と名づけた作品である。その後自然石がガラス板の上におかれ、そのガラス板は、寸分違わぬサイズの鉄板にぴたりと載せられていることもあった。自然石はガラスが割れる程度の高さから落とされ、ひびがガラス板のフチまで広がっている。一見すると、鉄板までバラバラになっているように思われるが、よく見ると、硬い鉄板はそのままである。

「偶然でもガラスの上に重い石が当たれば割れます。でもそれは物理的なアクシデントの域を超えません。アーティストの意図通りの割れかたも面白くないけれど、アーティスト不在の偶然性もつまらない。アーティストと石とが呼応し、緊張関係によって何事かが起きた時、そのガラスは初めて作品になるのです」と李は説き明かす。


もの派の活動は一九七〇年代前半でひとつの季節を終え、李は自らの表現を追求していく。一九七一年、パリ青年ビエンナーレに招待されて以来、ヨーロッパで活動する機会が増えていった。背後にはもの派に対する激しい批判や、一九七一年にエドワード・フライが企画した「現代日本美術展」（グッゲンハイム美術館）の作品選定（二四、五名の作家が集まり、李も参加）に李の石と鉄板の彫刻3点が選ばれるが、日本の外務省は国籍を理由に出品不可の通知を出し問題となった（これに対して針生一郎が『朝日ジャーナル』に抗議文を発表、これがきっかけに日本のほとんどの展覧会における国籍条項が撤廃されるようになる）ことなど、いくつかの出来事があったようだ。

「日本でひどい非難や批判を浴び続け、外に自分の生きる場所を探すようになりました。ヨーロッパに行っても知り合いはいない、言葉はわからない、お金もないという状況でした。

わずかばかりの手応えを感じてどんどん行くようになると、作品が話題になり、積極的にそこで戦いたいという気持ちが芽生えてきて、次第にヨーロッパのほうが広い戦い場になったのです」

そして先ほど書いたように、ヨーロッパと日本を行き来するなかで、《点より》《線より》のシリーズが始まっていく。

実川が李と出会うきっかけをつくってくれたのは関根伸夫だった。

「関根さんは、えらい大らかで、いい加減で、話が面白くてね。自由が丘駅前に関根さんが環境美術研究所を主宰していてね、ビルなどに大きな彫刻を入れ始めたんですね。自分の子分たちと昼飯食った帰りに、毎日のようにぼくのところへ寄ってお茶飲みながらくだらない話をして帰っていく。あの当時、彫刻の三木富雄さんも近くに住んでいたんですよ。三木さんの耳の彫刻が南画廊で売れ始めて、多摩美の彫刻科の子たちも彼の助手をよくやっていましたね。関根さんと三木さんも仲が良くて、みんなでうちでよくギャアギャア議論していました。彼らの総大将の一人が関根伸夫で、理論的なことを言うのが李さんと菅木志雄だった。そんななかで李さんを紹介してもらったんです」

自由が丘画廊が李の作品を扱うようになったのは一九七四年くらいからだ。企画展こそ開催していないものの、十号から二〇号の小品を数多く扱ってきた。実川は振り返る。

「李さんの絵は、最初はなかなか売れなくて、それでぼくが『李さん自身が作品について語る会を開いてほしい、それをぼくが仕掛けるから』と相談したんです。で、『李さんの話を聞く会』を、なんだかんだ十回は開きましたよ。画廊の隣にあったサンレモという喫茶店から紅茶とケーキを取ったりして、会費を三〇〇円か五〇〇円集めたのかな。李さんは毎回、作品を四、五点持ってくるのね。集まった人たちに李さんが自分の意見と絵について説明すると、李さんは基本的に真面目だし、話もわかりやすい。論客ですよね。聞いているうちにみんな納得して、作品は売れていきました。一九七四年、七五年当時に一点十万から二〇万円という値段でしたから、安いわけではありません。それを二〇代から三〇代の若者が買って応援したんです。その後、李作品の値段はぐんぐん上昇するのですが、当時、彼らは李作品が値上がりすることを期待していたわけではなく、純粋に作品に惹かれていたのです」

李は美術評論家の東野芳明に誘われて、一九七三年から多摩美術大学で教えるようになっていた。そのころの校舎は世田谷の上野毛にあったため、李にとって自由が丘画廊は立ち寄りやすい場所だった。

「自由が丘画廊は、名前どおり非常に自由でした。ほかの画廊は、年功序列を重んじる空気がありました。実川さんは若いけれどオープンで、年齢や立場に関係なく意見を言い合うことができたのです。あの頃のぼくは貧乏をしていたのですが、もの派だった吉田克朗から鎌倉に引っ越してこないかと誘われて、家を建てたいと考えていたんですね。実川さんは一助になるよう絵を売ってみましょうと言ってくれました。多摩美でも働いていたのでギリギリなんとか鎌倉に家が建ったのです」

日本では一九七一年以降から数年、第一次美術ブームといえるものが起こった。一九七〇年の大阪万博の終了と共に好景気が訪れ、七二年の田中角栄内閣の誕生がそれに拍車をかけていく。日本列島改造論によって一部の地価が急上昇し、都市にはビルが新築され、それに伴って絵画が売れていった。けれども「現代美術を買うのは一部の人だった」と実川は言う。「絵は投資の対象になると一部の画商やアナリストが煽ったことも影響して、あっという間に具象絵画の値段が上昇していきました。売れていたのは、九九・九パーセント日展系の画家による具象絵画。梅原龍三郎や安井曾太郎の絵の価格は、家を一軒建てるのと同じくらいと言われていました。ブームに乗って都内の画廊は急増し、その頃、四、五〇〇軒もの画廊が登場したともいわれています。具象絵画なら美大を出たての人の作品まで売れたのに、抽象を中心にした現代美術を買う人はまだ少なかった。李さんや山口先生、草間彌生にしても売れなくて苦労しているんです。貧しいなかで他にはない新しい表現を求めていったから、彼らの絵には狂気があるでしょう。デモクラート美術家協会の瑛九やオノサト・トシノブ、九州派の菊畑茂久馬だってそう。現代美術は、もともとは泥臭いものなんです」

山口長男とオノサト・トシノブ

李は実川についてこうも語った。

「実川さんには絵を見る動物的な直感力、判断力があります。問答無用で、この作家がいいという感じなんです。実川さんが扱ったなかでは、山口長男さん、オノサト・トシノブさんが重要。オノサトが消えてしまっているけれど、戦後美術を考えると絶対に評価しなくちゃいけない。幾何学的システムのような、曼陀羅のような、日本人がもっている規則正しい美意識が作品にうまく投影されていると思います」

すでに書いたように、実川は高校生の時から山口長男の作品に惹かれ続けてきた。その魅力について実川に聞くと、「単純化された画面構成でありながら、大地や自然を感じさせてくれる」という答えが戻ってきた。

「山口先生の作品は、ベニヤ合板の上にペインティングナイフで幾何学的かつあたたかみのある形を描いたものです。色は黒ベースに赤茶か黄土色のみ。日本統治時代の朝鮮領の首都、京城（現・ソウル）で生まれ育った山口先生にとって赤茶は朝鮮半島の、黄土色は中国南部あたりの色だそうです。先生のお父さんは、鹿児島出身の九州人。朝鮮に渡って一代で大地主になった人で、先生は裕福な家庭に育ち日本で東京藝大を出てからパリに留学しています。戦時中に朝鮮に戻り、終戦の直前には釜山付近で補充兵にもなっているんですね。戦後は無一文になって帰国し、同じ鹿児島出身の東郷青児が会長を務める二科会で事務の仕事をしながら制作をしていた。最初はキャンバスも買えないので、東郷さんが書き損じたのを持っていけといわれて使っていたそうです。東郷さんからお前も大きな絵を描いて二科展に出品しろといわれ、キャンバスが買えないと答えると、だったらベニヤ板に描けばいいじゃないかとアドバイスされた。それがきっかけになってベニヤ合板を使った作品を手がけるようになったんです。絵具も買えないから、黒、紺、赤、茶という限られた色の絵具を練って、練って、自分で色を作っていったそうです。そんな話を山口先生から聞いています」

山口の作品を扱うことについて、実川は南画廊の志水と取り決めを交わしている。それは、三〇号を基準にして、それ以下の大きさの作品であれば山口先生から直接いただくことを諒承されたうえで、南画廊は五〇号以上の大作を、東邦画廊が中作をそして小品を自由が丘画廊へというものだった。しかし、展覧会に関しては南画廊でのみ開催することが条件であった。ギャラリーセゾン、夢土画廊のグループは例外として出品されていた。

「ぼくは山口先生のところへご挨拶に伺い、自由が丘画廊のために小品を描いてほしいとお願いすると快く引き受けてくださいました」

一九七〇年代半ば、実川は山口長男の作品を集めようと銀座の老舗画廊を訪ね歩いたことがある。最初に行ったのは日動画廊だった。日動画廊の倉庫には現代美術がたくさんストックされていることを南画廊の志水から聞いて知っていたからだ。

「志水さんによると、日動画廊初代社長の長谷川仁さんは年末になるとコートに札束を詰め込んで、これぞと思う画廊を運転手つきの車で回るのを習慣にしていたそうです。行く先々で『どうだ、年は越せるかね?』とたずね、相手が『それがちょっと……』と口を緩めると、現金で作品を買っていった。その値付けが実に的確で、売る方にすれば儲かりはしないけれど損もしないというものだったそうです。ぼくは台帳を調べてもらい、山口長男をはじめ、彫刻家の辻晉堂や木村賢太郎などの作品を安く手に入れることができました。兜屋画廊では瑛九の版画とオノサト・トシノブの一九五〇年代の油彩を、フジヰ画廊では山口長男の十号から三〇号を三、四点と堀内正和の作品を買うことができました。これらはすべて売れ残っていたものです。フジヰ画廊の社長は、山口長男の作品は売れにくいけれど、良い作家だからとすごく渋ったんです。でも結局は手放してくれました。山口先生をはじめ、現代美術家の作品がこれほど簡単に手に入れられたということは、現代美術の市場ができていなかったということです。まして老舗画廊は具象が中心で、現代美術の顧客を持たなかったから売れなかったんでしょうね」

実川が買い付けたのは、十号から二〇号の小品が中心だった。号一万円、つまり一点十万円から二〇万円くらいが主な仕入れ値で、買ってきた作品に二、三倍の値段を付けて並べておくと数日で売れた。何人かのコレクターが顧客として育っていたのだ。

「ぼくは画廊に来た人の職業や年齢などには関係なく、淡々と接し、お互いに作品について自由に意見を交わしました。そうしたなかで自然に売れていったのです」

　山口長男と自由が丘画廊との交流について、実川が「山口長男先生におもう」というエッセイをまとめている。その一部を紹介したい。

　先生は沈思黙考の画家でした。その風貌は悠然としており、いつも微笑みをうかべておられました。口数は少なくおおくは語らぬひとでした。言うな

Hommage à Takeo Yamaguchi
山口 長男展
GINZA JIYUGAOKA GALLERY

1984年2月6日〜18日、没後に自由が丘画廊で開催された「山口長男展」のカタログ

れば古武士のおもかげのある先生でした。

（略）

私は、１９６９年に自由が丘に画廊を開くことになりました。ぜひ山口先生の作品を展示したかったのです。そして先生のお宅へうかがい先生の作品を取り扱う承諾をいただきました。

私は得意となり、数点かざりましたが、なかなか直ぐには売れませんでした。そこで先生にお願いして画廊でゼミナールを開くことにしました。この企画はうまく行き、講義を受ける生徒がだんだんと増えてきました。そしてそれはなんとなく先生を囲んだ小さな宴会となっていったのです。

そうした席での先生は、実に楽しそうであり、朗らかでした。

先生はときどき、フト思い出したように、パリ留学時代の話しとか、朝鮮での話しもしました。でもやはり芸術論が一番多かったように記憶しています。

あるとき、こんな話しもされました。自分は自然を手本にしている。自然の仕組みをよくみることが大切である。ものは立体だ。だから自分は立体を心がけて絵を描いている。いま描いている絵は大地から植物が芽を出す様子を描く。と語っていました。

1970年〜1980年代は絵は売れませんでしたが、明るい時代でした。その頃、一人の青年が聴講生として仲間になり、山口先生の話しに感銘をうけてコレクションをはじめました。

彼は、宴のまっ最中の時でも、一滴の酒ものまず、先生の話しに聞き入っていました。酔った先生を彼の車で、先生宅まで送りました。そんな時代がつづいていました。

（略）

先生は儒教の人でもありました。作品はほとんど一文字の題名でした。これら一文字の漢字には意味が含まれています。

私は、先生の生涯は「仁」であったと思います。

先生の没後、私はささやかな「オマージュ山口長男展」を開きました。

前述の青年コレクターは、彼が建てた自社ビルの広い空間で、1995年に大作を含む50点を展示して、山口長男展を開催しました。

山口先生の作品は自然―大地を、自然の奥深さを見せてくれました。

過去にこのような絵画があったでしょうか？
私は、たまたま辞書を紐といた時、こんな言葉を発見しました。
まさに、この言葉こそ、作家・山口長男ではないでしょうか。

「我より古を作す」――（先例や古いしきたりに捕らわれず、自分の手で新例を作り出すこと。出典「宋史」）

実川暢宏「山口長男先生におもう」『Yamaguchi Takeo – Composing Monochrome』オークションカタログ　サザビーズジャパン、二〇一七年

オノサト・トシノブも一時期ではあるものの実川が熱を入れて取り上げた画家だった。オノサト・トシノブは、応召とシベリア抑留のために創作の中断を余儀なくされながら、帰国後、群馬県桐生市のアトリエにこもり、誰にもできない幾何学的抽象様式を確立した現代美術の先人の一人である。画面はモザイクパターンのみで構成されているにもかかわらず、画面からは「円」が浮かび上がってみえる。主に朱、黄、緑、紺の四色を基調として、色数を

制限しながら絢爛な表情を生み出している。

「出来そうでいて出来ない、複雑にみえながらシンプルな抽象美。オノサトさんの頭のなか、幾何学の才能がずばぬけておもしろい」と実川は言う。「オノサトさんは三六五日桐生のアトリエで作品と向き合っていて、昼食には必ず木の実を食べると話してくれました。仙人みたいでしたね。アトリエに置いてあるイーゼルがすごいんです。機織り機みたいな感じでね、上下左右自在に動いて、オノサトさんが動くことなく、書きたい部分が必ず正面にくる仕組みになっていました。緻密な幾何学模様を描くのに編み出したのでしょうね」

オノサトは一九六四年にグッゲンハイム国際賞展に出品した作品が同美術館に収蔵されたのをはじめ、一九六四年と一九六六年に開催されたヴェネチア・ビエンナーレでは、日本代表として二度出品して海外でも大きな注目を集めた。

「オノサトが国内外で評価されるきっかけとして、久保貞次郎先生の存在を忘れることはできません。久保先生は、オノサトの親友である瑛九が中心になって結成したデモクラート美術家協会の活動を支援しただけでなく、オノサトら若い作家の作品をオークションで購入することで画家を支えるという取り組みをしていました。瑛九が一九六〇年に亡くなってからは、とりわけオノサトと靉嘔をサポートするようになっていきました」

オノサトが靉嘔らと共にヴェネチア・ビエンナーレの日本代表に選出されたことについて

も、一九六六年のヴェネチアア・ビエンナーレの日本コミッショナーを久保が務めていることから、久保の推薦があったとみて間違いないだろう。

「久保先生を顧問に始めた小コレクターの会の事務局長である尾崎正教さん、摺師の岡部徳三さん、久保先生が提唱した創造主義美術教育の活動をされていた美術教師の高森俊さんと大野元明さんの四人もこぞってオノサトさんを応援していました。具体的に言うと、小コレクターの会では、版画にして販売してもいいという条件で、オノサトさんからタブローを買い、彼の生計を支えていました。つまり、当時の現代美術家は世界で評価を受けたといっても、それで暮らしにゆとりが出るほどではなかった。それくらい現代美術は売れていなかったということなんです。

自由が丘画廊がオノサトさんを扱うようになったのは、うちが小コレクターの会の会場だったことも影響しています。もちろん、それ以前から才能を買っていましたよ。もうひとつのきっかけは、南画廊の志水さんです。一九七〇年代半ば頃、パリから東京に戻る飛行機で志水さんと一緒になったのですが、そのときオノサトについて尋ねられ、面白いと答えると、良い作家だけれどうちはもう扱わないから、君のところでやればいいと勧められたのです。南画廊では一九六六年にオノサト・トシノブ展をやっているのですが、その後にオノサトさんとのあいだで何があったかどうかはわかりません。ただ志水さんはプライドの高い人だから、一度もめると、才能は認めつつも手を引くという毅然としたところがありました。

そんなこんなでオノサトさんにお願いしたのです」

依頼するにあたって実川は、三〇センチ四方のパネルとキャンバスを特注で用意して、オノサトに渡している。

「オノサトさんの絵はサイズが大きいので、一般の人が買い求めやすいように三〇センチ四方の油彩を三〇点描いてほしいと頼みました。できあがった作品はすべて買い取りました。狙い通りによく売れました。一九七七年頃のことでした。しばらくすると、あるアイデアが浮かんできました。オノサトさんは『円』を描く作家なのだから、円形キャンバスを用意して描いてもらおうと考えたんです」

直径五センチから一〇〇センチまでの円形パネルとキャンバスを三〇点分用意し、描き上がった作品は全部買い取る。そして自由が丘画廊で個展を開くという条件で制作を依頼した。一九八〇年のことである。

「絵が完成し、個展のカタログをつくる段階で、オノサト夫人とぼくのあいだで悶着が起きました。ぼくは、みる

「オノサト・トシノブ―〇型カンヴァスによる新作展」(1980年11月8日～30日)カタログ

人が先入観を抱かないように作品の題名はローマ数字で表そうと考えていました。ところが、夫人はT・S・エリオットの詩から抜粋した言葉を題名につけていたんです。それは作品とは何も関係のない言葉でした。今から思えば、ぼくがやりすぎたと思いますが、自分が依頼した作品にエリオットの言葉をつけるのは受け入れられなかった。結局、ローマ数字を題名にしたカタログをつくりました。カタログを桐生のお宅まで届けましたが、カタログを見た夫人の表情がたちどころに険しくなり、二度と来るなとカタログを投げつけられました。オノサトさんが門まで出てきて謝ってくれたのですが。

個展は一一月八日から三〇日まで開催しました。作品は三〇点すべて売れたのですが、夫人の怒りは鎮まりませんでした。自由が丘画廊の常連客だった著名なドイツ文学者が、オープニングパーティに酔って現れて、円形キャンバスの絵を『めんこみたいじゃないか』と言ったことも火に油を注いでしまったようです。オノサトさんとはそれで終わり。あとでわかったけれど、ある画廊がうちよりも良い条件を出してきていたそうです」

このときの円形キャンバス作品、ならびに一九七七年ごろに制作してもらった三〇センチ四方の作品数点は現在、大阪の国立国際美術館に所蔵されている。オノサトには熱狂的なコレクターがいた。その一人、藤岡時彦が蒐集し、藤岡の遺族が美術館に寄贈したのである。

駒井哲郎と岡鹿之助

李禹煥、山口長男、そしてもう一人自由が丘画廊にとっての重要な作家がいる。一九七〇年に突然付き合いが始まり、一九七六年に亡くなるまでの六年間、自由が丘画廊が取り扱い画廊となった駒井哲郎である。銀座の画廊から売り浴びせをくらって数百枚の在庫を抱えていた自由が丘画廊の経営のため、そして、信頼してくれた駒井のためにも実川は売ることに必死だった。潮目が変わったのは一九七三年。美術出版社から『駒井哲郎銅版画作品集』が刊行され、西武百貨店渋谷店記念展が開催されると、駒井の版画が万人に受け入れられるようになっていったのだ。その展覧会は、西武百貨店渋谷店美術部にいた安福信二が、交流のあった自由が丘画廊の協力を得て企画したものだった。

「西武百貨店の駒井哲郎展の成功を知り、いくつもの地方百貨店からうちでもやりたいと声が掛かりました。それを観た地方の画廊が駒井さんの版画を扱ってくれるようになって、駒井さんの版画は全国に広まっていったのです。同じ時期に、名古屋のギャラリーバルール（イケダギャラリー東京の前身で一九七二年に開廊）の池田昭さんが自由が丘画廊を訪ねてきたのね。名古屋のお医者さんで、現代美術にのめり込んでのちに名古屋ボストン美術館館長になった馬場駿吉さんが駒井さんのファンで、池田さんを通じて大量に買ってくれたんです」

自由が丘画廊では、一九七一年と一九七三年、一九七五年に駒井版画の新作展を開催した。

1973年、自由が丘画廊の協力により西武百貨店渋谷店で開催された駒井哲郎展の会場にて。左より駒井哲郎、瀧口修造、岡鹿之助の各氏　写真提供＝実川暢宏

自由が丘画廊ではどの展覧会でもオープニングパーティを開いたが、駒井展では、瀬木慎一や東野芳明ら複数の美術評論家が訪れ、詩人の安東次男、作曲家の武満徹、湯浅譲二、小倉朗という多彩なジャンルの文化人も顔を見せたという。駒井哲郎展の初日に誰よりも早く駆けつけたのは、洋画家の岡鹿之助だった。戦後、春陽会で岡鹿之助に出会って以来、駒井は岡を終生師と仰ぎ、岡も駒井を大事にした。

「駒井さんは深沢からミニバスに乗って自由が丘画廊に週に一度、岡先生は月に一、二度、田園調布から散歩を兼ねていらっしゃいました。誰か他の絵描きさんが来ると、自然な感じで帰られるんですけどね。岡先生は穏やかで、とても話上手な方でした。駒井さんの展覧会の初日には、オープニングパーティが始まるずっと前、ぼくらがまだ準備をしているところに岡先生が訪ねてくるんです。『ごめんなさいね、勝手に観ますからね』と言いながら一枚一枚丁寧にご覧になって必ず十点買われた。展覧会が終わったあとでご自宅にお届けすると、『わたしが買ったことは駒井にも誰にも言わないでください』とおっしゃるのです。駒井さんは、無口で控えめな方ですが、酒を呑むと酔漢に化すという伝説があって、酒の席で岡先生のメガネを取り上げて放り投げたという武勇伝を岡先生からお聞きしたけれど、それでも岡先生はにこにこされて、まったく気にされていない様子でした」

この話を聞き、岡の大物ぶりに驚かされつつ、駒井の静かな作風の中に激しいものが秘められている理由が一瞬わかった気がした。

もう一つ、岡の泰然自若ぶりがよくわかる余話がある。客の一人で、自由が丘画廊に来ては、「李禹煥や山口長男のような、わけのわからない絵を売ったらいかん」と説教をする人がいた。ある日、「こういうものを売らなくちゃいけないよ」と、銀座の画廊で買った岡鹿之助の絵を実川に見せたのだ。

「絵を見て、ぼくがこれは岡さんの絵じゃないよと言ったら怒ってね。銀座の画廊で数百万円払ったのに、お前のようなチンピラに言われる筋合いはないと息巻くんです。ぼくが岡先生に電話して事情を話すと、まあまあ、そんなことはいいから遊びに来なさい。その絵もついでに持ってくればいいと言うので、絵の持ち主とぼく、竹内さんたちと数人で行きました」

アトリエに着くと、岡はその絵を見ようともせずに雑談に熱中していった。絵の持ち主がしびれを切らして「先生、せっかくなので絵を見てください」と懇願すると、ひょいと見てすぐに裏返してしまった。そのあと、「先生、そんなに早くわかるんですか」「ええ、これはよその岡さんの絵です。ぼくと似た絵を描く人が三人いるんです」といったやりとりがあったと言う。

「岡先生から、実川くん、どうしてこの絵を見てぼくの絵じゃないと思ったんですかと聞かれました。ぼくは先生が書いた文章を読んで、岡先生の絵はフランスの絵具で描かれていて、化学的に合成した絵具は使わないと知っていたんです」

岡は持ち主に、「せっかく買ったんだから大切にしてくださいよ」と言い、「ところで、実川さん、駒井の版画は売れていますか」と話を切り替えたという。ウイットに富んだ岡の様子が伝わってくる。そのユーモアにあふれた岡が、日頃から駒井のことを気にかけ、何かにつけて『駒井の作品は売れていますか』と実川に聞いてきたのである。才能ある後輩への愛を感じずにはいられない。

岡の心配をよそに、駒井の作品は非常によく売れた。

「駒井さんは一九七四年、五四歳で舌癌と診断されるのですが、価格は高騰していました。高いものでは二〇万円から三〇万円というものもありました。それでもぼくには画料を一万円から上げさせなかった。いくらお願いしても、『実川さん、今さらいいよ』と言って聞かなかった。駒井さんは日本橋の生まれで生家は魚河岸で氷問屋を手広く営んでいたそうです。江戸っ子気質で、一度決めたからと最後まで変えなかった。駒井さんはおしゃれだったから、プレゼントをしたくてパリからお土産にオーデコロンを買ってきました。でも間に合わなくて、奥様にお渡ししました。一九七六年に駒井さんがお亡くなりになったあとで、一万円で買っておいた版画の絶版三〇点ほどをお返ししました。奥様は驚いていらっしゃいましたが、ぼくの気持ちが収まらなかったのです。駒井さんを扱わせていただいたおかげで画廊の経営が成り立ったのですから、どんなに感謝してもしきれません」

Ⅵ　欧州の画商たち

パリへ

一九六九年から一九九一年までの二三年間に、自由が丘画廊では五二の企画展を開催している。取り上げた作家について名前を拾ってみよう。

澤田政廣、駒井哲郎、セルジュ・ポリアコフ、大沢昌助、相笠昌義、磯辺行久、ジャン・デュビュッフェ、ウィフレッド・ラム、ニコラ・ド・スタール、ヴォルス、エンリコ・バイ、リン・チャドウィック、フランク・ステラ、フェルナンド・アルマン、トム・ウェッセルマン、オクヤナオミ、マリオ・チェロリ、エンリコ・カステラーニ、ルチオ・フォンタナ、マルセル・デュシャン、ピエロ・マンゾーニ、森下慶三、オノサト・トシノブ、三川義久、瀬島好正、村上友晴、山口長男、齋藤寿一、中川幸夫、寺尾恍示。

実川の恩人である彫刻家の澤田政廣を別にすると、前衛の作家ばかりで実川の嗜好がよくわかる。とりわけ一九七二年から八一年までは、三五回のうち二〇回はフランスやイタリアの現代美術家を果敢に紹介している。

「日本ではまだ知られていない海外の作家の作品を掘り起こして、先輩画廊や評論家の鼻を明かしたいという生意気な気持ちがあったのだと思いますよ。もちろん、海外の作家の作品を紹介して、現代美術のファンを少しでも増やそうという純粋な気持ちもありました。一九七〇年代はまだまだ現代美術が片隅に追いやられていて、ぼくも支持者を広げるための方法を真剣に考えていたんです」

こうした理想以外に、実川が海外へ向かった理由がもう一つある。今ではそのようなことはなくなったが、どこかの画商がこの作家は自分の扱いだと決めると、ほかの画商はその作家に手を出せないという暗黙の了解があった。掟を破れば、先輩たちからバッシングを受けることになる。ありがたいことに実川が自由が丘画廊を開く際に、中山久が東京画廊や南画廊をはじめ主要な画廊のカタログをプレゼントしてくれたおかげで、先輩画廊がまだ扱っていない作家を調べることができた。

「中山先生の親心だったと思います。東京画廊と南画廊についてはオープン時からのカタログが揃っていました。それを丹念に調べて先輩画廊がやっていない海外の作家をやってやろうという野心が芽生えてフランスへ絵を探しにいくことになったのです」

初めての海外買い付けは、現代美術を扱う画廊へと舵を切ってから数ヶ月が経った一九七一年五月。実川はニコラ・ド・スタールやセルジュ・ポリアコフ、ジャン・デュビュッフェ、ヴォルスといったフランスの前衛作家の作品を買い付けるためパリへ飛んだ。自由が丘画廊のスタッフの一人で、すでにパリに滞在した経験があり、フランス語にも長けた石原悦郎が同行している。

「ソ連のアエロフロートがオルリ空港に降りる前にパリの街の上を旋回するんです。憧れ続けた街を夕日が赤く染めていました。けれども建物の屋根も石畳も真っ黒で、予想外の暗さに驚きました。屋根から突き出た小さな煙突は詩情を誘うけれど、煙突から出る煤が街を黒塗りにしていたのです。モンパルナスを通ってサンミッシェルのホテルへ向かう途中に、藤田嗣治が入り浸っていたカフェがあって、その前だけがすごく華やかだった。ホテルに着くと石原くんは、ぼくに簡単なフランス語をいくつか教えると、すぐに夜の街へと消えちゃった。彼女が待っていたのかしら」

実川がどうしても手に入れたかったのが、ニコラ・ド・スタールの作品だった。帝政ロシアの末期に貴族の末裔として生まれ、革命によって一家で国を追われてベルギーへ逃亡して教育を受け、第二次世界大戦後のフランスに彗星のように画家として登場したといわれている。不幸にも一九五五年、フランス南部の港アンティーブのアトリエで自殺をした。四一歳、その才能が開花したところだった。死後、十五年を経ても、フランスやアメリカをはじめ海外では人気、評価ともに高くて、海外のオークションではピカソと並ぶ高値がついたことがあった。土方定一が「この絵の異常な人気」と題して「藝術新潮」（一九六一年八月号）で高値の理由を分析したほどだ。

日本でもフランス文化に関心をもつ人の間では、名前くらい知らなければ格好がつかない画家だった。作家の福永武彦がド・スタールについてのエッセイを書き、日本でもブームを起こしたヌーヴェル・ヴァーグの巨匠ゴダールは、映画「気狂いピエロ」（一九六七年日本公開）の冒頭で登場人物に「ド・スタールの自殺の話でもしようか」と語らせている。

実川は、福永武彦や美術評論家の坂崎乙郎による評論でド・スタールを知ることになった。一九六〇年代から七〇年代にかけて「藝術新潮」や「美術手帖」といった雑誌がド・スタールを「戦後フランスの前衛作家のエース」として紹介していたのである。

「フランスの新しく出てきた作家で最も注目すべきはド・スタールだと書いていたのね。どういう絵かと思って見てみると、一枚の絵が抽象であり、具象でもあり得るというもので、ものすごく新鮮だった」

石原と二人でパリ市内の主だった画廊をのぞき、ド・スタールはあるかと聞いても、どこの店でも笑うだけで相手にしてくれない。今のようにインターネットがあるわけでもなく、事前に調べるのは容易ではなかったものの、自分たちの下調べの甘さに気づいてがっくりしてしまった。

ジャック・デュブール画廊

「ギャルリーためながのパリ支店がオープンしたことを思い出して行ってみたんです。爲永清司会長のお兄さんにあたる爲永清行さんがいらっしゃいました。すごく良い方で、ぼくらの無鉄砲な話を聞いて腹を抱えて笑うんですよ。ド・スタールは、決まった画廊があるんだよ、八区のオスマン通りにあるジャック・デュブール画廊が扱っている、ビッグな画廊だよと、教えてくれました。でもド・スタールは人気だし、すでに死んでいる作家なので簡単には手に入らないということでした」

ジャック・デュブール画廊は一九五〇年にド・スタールの個展を開いて以来、亡くなるまで支援し続けた画廊だった。日本の若い画商二人が出し抜けにジャック・デュブール画廊を訪れた時の顛末を、実川は一九七七年に開いた「ニコラ・ド・スタール展」のカタログで活写している。

ブールバール・オスマンのジャック・デュブール画廊へ行き、いきなり〝ド・スタールの絵を見たいのですが〟と聞く僕にデュブール氏は困惑した顔で〝残念ながら、いまはド・スタールの作品はない〟と答える。とその時、奥の室のドアが開き、中から一人の男が作品を搬び出している。〝アレッ、あの絵、スタールだよ〟指で示しながら〝スタールだ、スタールだ〟と声をあげる僕に、デュブール氏は驚いた顔で〝君は、あの絵がスタールとわかるのか？〟と聞く。〝わかる〟と返事をすると彼は握手を求めてきた。この時から僕とデュブールの交遊が始まった。一週間、毎日、ジャック・デュブール画廊へ通った。ド・スタールの作品が見られることが喜びであった。秘書のおばさんが

〝今日もか〟と、僕に言ったことを想い出す。デュブール氏は、イヤな顔など一回もせず〝スタールは、すばらしい作家だろう。美しいだろう〟と言っていた。

実川暢宏「ニコラ・ド・スタールとジャック・デュブールと僕と」
「ニコラ・ド・スタール」展カタログ　自由が丘画廊、一九七七年

実川にはデュブール氏は八〇歳を過ぎたおじいさんに思えた。日本からわざわざ訪れた若い画商が、ド・スタールのすばらしさを共有できる人物だとわかると、デュブール氏は喜びの表情を見せ、画廊の奥へと案内してくれた。偶然にもド・スタールの回顧展の準備中で、そこには数十点の作品が並べられていた。実川はデュブールにド・スタールの作品を数点購入したいと申し込んだ。金額は一点七〇〇万円から八〇〇万円で、現金でなら売ろうということだった。その時にはそんな大金は所持していなかったので、一度帰国して交渉し直すことになった。

「為永さんにこのことを伝えると、非常に驚かれました。デュブール氏は偉大な画商で、店は後継者に任せているはず。会えたことも、気に入られたことも非常にラッキーだというのです」

この時のパリで、実川と石原はデュブールの自宅に招待された。玄関の次の部屋には壁一面に名画が飾られていた。ルノワールの素描、セザンヌの水彩、スーラやブラック、グリス、

ピカソ、ゴーギャン、シャガールなどの油彩と、列挙すればキリがない。とりわけキュビズムの彫刻家であるアンリ・ローランスが好きなようで、装飾紙や新聞紙などをキャンバスに貼り付けて表現したパピエ・コレがある。さらにゴヤやジェリコーという一八世紀から一九世紀に活躍した画家の作品があれば、廃棄物を彫刻に変える現代美術家アルマンの作品まで置かれ、その幅の広さに驚くばかりだった。

「それだけじゃなかったのです。ぼくらがコレクションに圧倒されていると、わたしの大切な絵を見せてあげると言って居間へ案内されました。カーテンのような覆いを開けると、ルノワールの油彩が現れたのです。初期のものでした。見終わるとすぐに閉じちゃうの。すごいものを持っていると

パリにて。ジャック・デュブールと実川　写真提供＝実川暢宏

いう自慢ではなくて、カーマインレッドが多く使われているため、布で遮光していないと退色してしまうという理由だったのです。デュブール氏はぼくたちに、画商はいつもいいものをみていることが大事だと伝えたかったようです」

デュブール氏と出会い、一緒に時間を過ごすことができて、実川はフランスの画商の底力をひしひしと感じ取ることができた。

「デッサンやクロッキーといった素描の紙切れから、水彩、油彩などさまざまな制作過程の作品が額装され飾られていました。年代も、一八世紀から現代のものまで網羅しているので

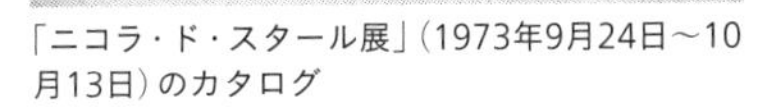

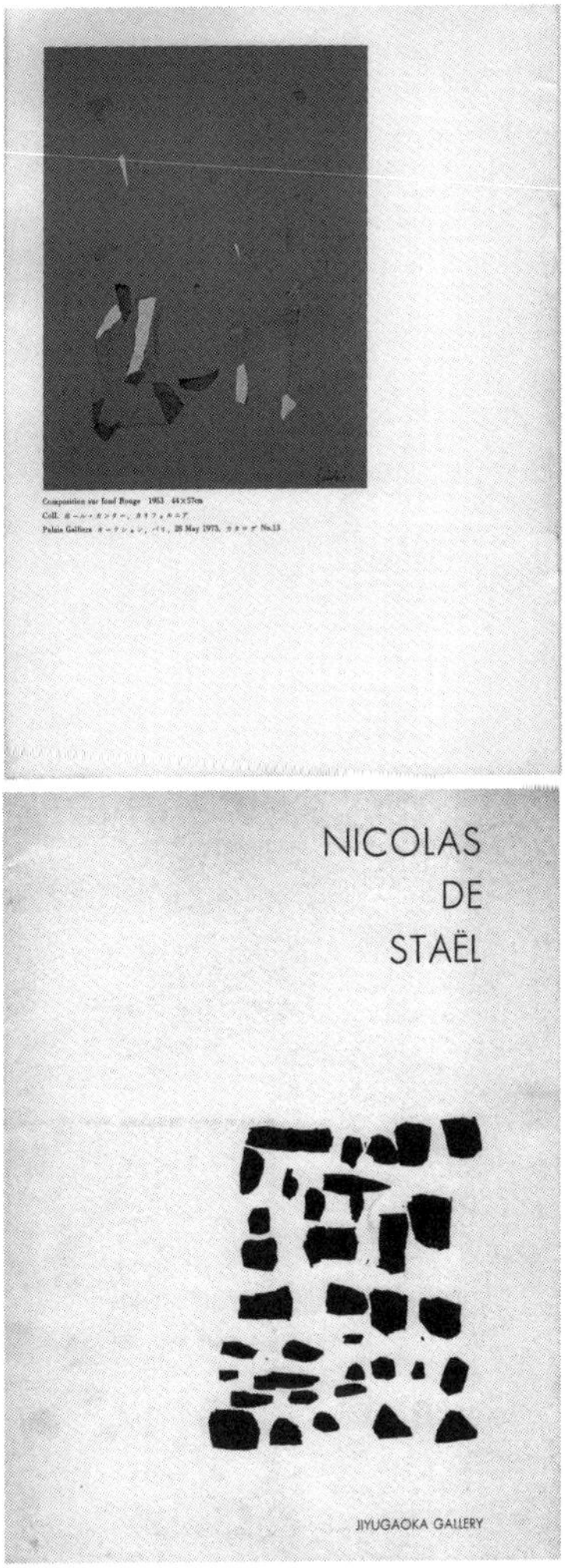

「ニコラ・ド・スタール展」(1973年9月24日〜10月13日)のカタログ

す。絵画の歴史があるヨーロッパでは、このようにさまざまな角度から美術作品を楽しんでいるのだとわかりました。そして前衛作品は突然生まれるわけではなくて、伝統の先頭にあるのだと腑に落ちたのです」

サンジェルマン・デ・プレのカラチ・ギャラリーは、石原と歩いている途中で偶然見つけた画廊だった。実川が探し求めていたセルジュ・ポリアコフの絵がウインドウに飾られていたので、小躍りするようになかへ入っていった。

「ポリアコフも、ロシア革命を逃れてパリに落ち着いた画家です。カンディンスキーや、ソニア・ドローネとロベール・ドローネの夫妻と知り合い、影響を受けながら、フランスを代表する抽象画家となっていきました。日本ではまだ扱う画廊はなかったけれど、ぼくはポリアコフが好きだったから、なんとか探し出したいと思っていたんです。画廊オーナーのカラチは、ポリアコフのお兄さんが経営する絨毯専門店で働いていた人で、独立して画商になったそうです。ぼくが訪ねたのが一九七一年で、ポリアコフは一九六九年に亡くなったばかりだからまだそんなに高くなかった。カラチは日本びいきだったし、爲永さんにも口を利いていただいたこともあり、売ってもらえたのです。この時の買い付けでは、アルマンの版画もだいぶ買いました。スーパーマーケットでアルマンの版画が売っていたのには驚きましたね」

実川はそのとき、版画数点とタブローを二点購入した。版画は一点四、五万円、タブローは三〇号と五〇号で五〇万円と一五〇万円だった。カラチではポリアコフのほかにフォンタナやフォートリエといった人気作家を扱っていた。

一九七二年春、自由が丘画廊ではポリアコフの企画展を行った。日本では初のポリアコフの展覧会だった。思ったほどの来客はなかったものの、コレクターたちの反応は上々だった。

「ぼくはポリアコフのことを、日本で最も資金力のある画廊、フジテレビ・ギャラリーのディレクター五辻通泰さんに話したんですよ。そうしたらフジテレビ・ギャラリーのお抱え美術評論家がポリアコフのことを三流画家と言ったんでぼくは怒ったんです。でもね、その六年後の一九七八年にフジテレビ・ギャラリーがポリアコフ展をやったんです。さらに一九八八年には西武美術館も大々的にポリアコフ展を開催した。こうして日本でのポリアコフへの注目は急速に高まっていったんです」

さて、一度日本に帰って交渉し直すとジャック・デュブールに約束したニコラ・ド・スタールの取引はどうなったのだろうか。

帰りの飛行機のなかで思い浮かんだのは、親しくしていたコレクターK氏の顔だった。現代美術へ強い好奇心を持ち、高額の投資も惜しまない人物である。帰国後、ド・スタールの作品代金が一五〇〇万円から一六〇〇万円になることを相談すると、あっさり承諾してもらえた。その後一緒にパリへ行き、デュブール画廊で作品を選んでもらった。実川にとっての初めての海外の画商との取引は成功したのである。

買い付けのためにヨーロッパに滞在するようになって、実川はいろいろなことに気づかされる。例えば、画商たちの着こなしが、ラフでありながら洒落ていたことだ。

「最初のパリでは、ぼくはスーツを着ていました。でも画商たちを見て、もっとカジュアルでいいのだと感じたんです。とりわけ現代美術を扱う画商はジーンズが多かった。画商の着こなしも扱う作品のイメージとかけ離れないほうがいいんですね。パリの爲永さんの着こなしは、オーソドックスにカジュアルがほどよくブレンドされ、ヨーロッパの名匠を扱うのにふさわしい品がありました」

美術の傾向そのものについても、将来的には抽象画を中心にした現代美術が世界的に主流になっていくだろうと確信した。

「日本でも第一次美術ブームが起きていましたが、現代美術を買う人はきわめて少数派でした。ところが、ヨーロッパでは名だたる画商が、具象絵画だけではなく、現代美術にも重きを置いていた。日本人はファッションでも車でもヨーロッパのブランドを信奉して、ヨーロッパのスタイルを追随するじゃない。だから近い将来必ず状況は逆転して、現代美術が売れるようになるとますます信じるようになったんです」

さらにこれは画廊経営にとって重要なことだが、ヨーロッパで画廊をめぐり、日本の絵の値付けよりも、ヨーロッパの値付けのほうが低いことがわかった。日本での梅原や安井の値段に比べると、ヨーロッパで売られているルオーやピカソのほうが安いという状態だったのだ。当時のヨーロッパでは、美術作品はドルでなければ買えない場合が多かった。一九七三年になると、それまでの一ドル三六〇円の固定相場制から変動相場制に移行して円の価値が上がった。一九七五年から約十年間の円相場は、一ドル三〇〇円未満から二〇〇円以上の間を行き来していた。

ミラノの森下慶三

一九七一年、実川は買い付けのためにイタリアのミラノへも行っている。石原の友人でパリに留学してステンドグラスを学んでいた松田日出雄が、「ミラノは面白そうだ」と呟いたのを聞いて、その気になったのだ。松田はパリコレで活躍した日本人モデルの草分け、松田和子の弟である。ミラノへは松田に同行してもらった。

「一九七〇年頃、イタリアという国については、日本では映画くらいでしか触れる機会がなくて、貧しい国かと思っていたら、精神的にも文化的にも豊かな国でした。瀧口先生がフォンタナについて本を出していたけれど、イタリアの現代美術もほとんど知られていなかった。

松田君と一緒にミラノの画廊を回りました。自由が丘画廊の常連でデュシャンのコレクターである笠原正明氏から聞いていたシュワルツ画廊へも行きましたね。デュシャンの研究家であるアルトゥーロ・シュワルツが開いた画廊でしたが、本人は画廊を人に譲って本格的に美術史家としての活動に専念したあとでした。笠原氏から、ヨーロッパに行くならデュシャンを探してきてほしいと頼まれていたので、画廊を引き継いだオーナーからデュシャンの版画を一点買ったんです。そのオーナーから、ミラノで最も勢いのある画廊、スタジオ・マルコリーニを紹介されました。このスタジオ・マルコリーニへの訪問が、新たな友人との出会いをもたらしてくれたのです」

松田は、フランス語は堪能でもイタリア語はわからない。マルコリーニはイタリア語しか話せない。困っているところに現れたのがミラノ在住の画家、森下慶三だった。すこぶる人柄が良く、この時から森下との長い付き合いが始まるのである。

「慶三さんは、一九六〇年代初めに奨学金留学生としてイタリアに渡り、ミラノの国立ブレラ美術専門学校彫刻科でマリノ・マリーニに師事したそうです。その頃のイタリアでは、美術の国際化に取り組んでいて、美術の優秀な卒業生には国際賞が贈られた。この賞を受賞すると、作品を扱ってもらう画廊を選ぶ権利が与えられるということで、慶三さんは、ミラノで最も成功した画商、スタジオ・マルコリーニとの契約を決めたんです。個展を開いてもらい、慶三さんは一躍スターになっていきました。イタリア貴族の末裔である女性と結婚して、ミラノの上流社会の一員にもなっていました。ぼくが慶三さんと一緒に街を歩くと、ケイゾー、ケイゾーといろいろな人から声がかかったし、レストランで食事をしてもお金をとられないんです。慶三さんはお礼に絵をプレゼントしていたようです。彼の絵は人気があって、ナポレオン通りのディオールをはじめ有名ブランドの店では慶三さんの一〇〇号とか一五〇号とかの絵が飾られていました」

　実川は、森下から聞いた話のなかで、イタリアの美術教育の徹底ぶりを思い知らされたことがある。

「慶三さんの師であるマリノ・マリーニは、卒業間近になると『将来、プロの作家になるか、断念するかここで決めなさい。どうしてもプロになりたい人は、女性は金持ちの男を見つけなさい。男性は金持ちの女を見つけなさい。それでしかプロの道を全うすることはできない』と言ったそうです。要するに才能はあとのことで、アーティストになるにはカネがかかるからパトロンがないとできない。そういうことを教師がはっきり教えるんですね」

　当然ながら森下はミラノの美術界に通じていたし、本人は具象の作家だが抽象絵画に対する興味も持っていた。そして、実川たちにあれやこれやと教えてくれるのだった。そのおかげもあって、実川はミラノへはそのあと何度も出かけて、イタリアの名だたる現代美術家の作品を買い付けることができた。

「とりわけイタリアでは美術品が安く買えました。渡航費を含めても採算はじゅうぶんとれるため、行ってしまえ！　ということで、一九九〇年代まで頻繁に買い付けにいきました」

自由が丘画廊が一九七六年から八一年にかけてイタリアの作家の企画展を数多く開いているのはそのためだ。マリオ・チェロリ、エンリコ・カステラーニ、ルチオ・フォンタナ、ピエロ・マンゾーニという錚々たる顔ぶれ。これらはミラノで仕入れてきたものだった。


ミラノの若いアーティストたちとの会話からも実川は覚醒させられた。

「慶三さんに通訳してもらいながら若いアーティストたちとお酒を飲んでいた時のことです。すると彼らの彼らは次にどんなことをやろうか真剣に考えていたので、すごく驚きました。すると彼らの一人が、『イタリアではあちこちにローマ時代の遺跡があるし、美術館にはルネッサンスの作品が飾られている。ぼくらは幼い頃からそれらを見せつけられ、その重圧の下で新しいものを創ろうとしている。芸術とは、歴史や伝統との戦いだと思っている』と語ったのには感心しました」

そのころ、イタリアではアルテ・ポーヴェラという芸術運動が起きていた。日本語に直訳すると「貧しい芸術」ということになる。新聞紙や布きれ、木材、鉄、石、植物などの日常的で粗末な素材を用いて前衛的な手法で創作をしていた。代表的な作家には、ミケランジェロ・ピストレット、ジュリオ・パオリーニ、ヤニス・クネリス、ジュゼッペ・ペノーネ、ピーノ・パスカーリ、マリオ・メルツなどがいた。

「興味があったのでトリノまで行ってヤニス・クネリスの作品を数点買ったんです。あとになってから、もの派の作家、三澤憲司さんから『実川さんて、おもしろいね』と言われたんですよ。『何で?』と聞くと、『クネリスはのちに世界的にものすごく評価されるでしょう。それを日本に最初に持ってきたりして』と笑うの。クネリスはずっと前に売っちゃったけどね。三澤さんは、関根伸夫さんの多摩美の後輩で、斎藤義重の教室にいたんです。三澤さんも鎖のモニュメントなどで世界的に活躍しています。アルテ・ポーヴェラはもの派より少し前に始まっていたけれど、工業化社会に対する反発、反芸術的気風の継承、自然回帰志向や反テクノロジー志向など、一九六〇年代の時代性を背景に生まれたという点では同じ。今のようにインターネットでグローバル化される前で情報は分断されていたはずだけれど、世界で同時多発的に美術運動が出るということはよくありますね」

ミラノにあった具体の絵

一九八〇年代半ば、森下から電話が入った。「ギャラリー・ミラノに具体の絵がたくさんあるからいらっしゃい」という内容だった。

具体とは、画家の吉原治良を中心に一九五四年に兵庫県で結成された前衛美術集団「具体美術協会」のアート活動で、パフォーマンスやハプニングなど今では普通に行われている芸術様式の先駆けである。結成当初のメンバーである嶋本昭三、山崎つる子、上前智祐に加えて、翌年には「0会」を作っていた白髪一雄、村上三郎、金山明、田中敦子というのちに具体美術を代表することになる作家たちが加入した。ミシェル・タピエと交流した日本アンフォルメルの代表的なグループと認識され、海外でも高い評価を得ている。

「ぼくはすぐにミラノへ飛び、たまたまパリにいた李禹煥さんにも来てもらったんです。李さんは興奮して『実川さん、全部買っちゃえ』というのですが、一点が二、三〇〇万円だったので持ち合わせがない。とりあえず帰国して、資金繰りを考えることにしました。ところが、自由が丘画廊でぼくが席を外したすきに、あるコレクターがぼくがミラノで撮影してきた具体の絵の写真を見て、だまってミラノへ飛んで全部買ってしまったんです。そんなことになっているとは知らないぼくは、ギャラリー・ミラノに購入の電話をすると、あなたの友だちという人が来て、実川に頼まれたからと言って全部買っていったというじゃないですか。悔しさを通り越して啞然としました」

今聞いても信じがたい。

「名のあるコレクターでしたが、ずいぶん転売もしていたので、ぼくの手数料を抜いて儲けようとしたんじゃないかな」

実川はオープンで隠し事ができない性格だ。つまり、他人を信用しすぎるきらいがある。それをいいことにすきを突いて横取りをするとは、美術品にまつわる邪な心を見せつけられた思いがする。

「吉原治良をはじめ具体の作家はミシェル・タピエの後押しで欧米に紹介されています。一九五九年、トリノでのアルテ・ノバ展、具体トリノ展。一九六一年、同じくトリノでのコンティニュテ・エ・アヴァンギャルド・オ・ジャポン展への出品はほんの一部です。当時は輸送費が高かったので売れ残った作品は安く手放してきたのでしょう。日本の画商が来たと知ると、安く買ってくれないかといわれることが少なくありませんでした。ぼくは岡本太郎や阿部展也、高松次郎の作品も買っています。まだヨーロッパでは日本の画家への関心は低い時代だったんです」

吉原治良作品の取引については後日談がある。一九九三年春、パリにいた知り合いの画家から吉原治良の作品が売りに出ているという情報が実川にもたらされた。しかしその画家は大阪の画商にも同じ情報を流していた。

「『ぼくに電話しながらよそにも話すなんてルール違反だ。金を作ってすぐに行くから』と電話して二日後には現金をバッグに詰め込んでパリへ行き、無事に買い付けることができました。大らかな時代だったのか、現金の持ち込みも手荷物ならスルーできたのです。パリでは証券取引所の周りにユダヤ人の両替商が十数名いて、どんな大金でもフランに替えてくれました。日本の銀行は手数料が高いため、日本で両替するのはばかばかしかった」

この時の吉原の作品は、静岡県立美術館に入っている。グレーの地に白と黒の顔料が落ち着いた筆致を見せる、吉原の代表作の一つとされるものだ。

実川にとって仕事でもプライベートでもかけがえのない存在となっていったミラノの森下慶三のその後についても書いておこう。実川と森下の付き合いは三〇年以上にも及んだ。一九七九年には自由が丘画廊で森下の個展を開いている。

「慶三さんは不慮の事故に遭い、二〇〇三年に亡くなってしまったのです。ぼくは喩えようのない喪失感におそわれました。彼の作品は今でも大切に持っています。どんな見方をすればこんな絵を描けるのだろうかと思わせる、宇宙基地のような未来風景の絵画です」

ヨーゼフ・ボイスの破壊力

フランスやイタリアへ買い付けに行くなかで、かつてのスタッフだった三川義久が留学している西ドイツのデュッセルドルフへ立ち寄ることもあった。最初の訪問は一九八三年、石原も一緒だった。三川は、国立デュッセルドルフ芸術アカデミーで、アンフォルメルの重要な画家とされるゲルハルト・ヘーメに師事していた。二〇〇二年にはドイツのＦＨアーヘン大学の教授に迎えられ、画家としても地位を築いている。

「パニクム村の馬小屋を改造した三川くんのアトリエを訪ねると、四方の壁に二〇〇号大の

2月4日　○時○分○秒

ちょうどその頃　渋谷二丁目一番地のビルの前で女が咳込んだ。

ちょうどその頃　浅草行きの地下鉄の一輛目に座った男がニヤリと笑った。

ちょうどその頃　喫茶店のテーブルにあったコップがころがってお客のズボンがびしょ濡れになった。

ちょうどその頃　ベットの老人が大きく口をあけてごはんをさし込んだ。

ちょうどその頃　画家が目をつぶって白いカンヴァスに筆をおろしはじめた。

李　禹煥

「森下慶三　想像の風景」展（1979年、自由が丘画廊で開催）カタログに掲載された森下氏。李禹煥氏の詩は、自由が丘画廊に居合わせた人たちで酒を酌み交わした際に森下氏が情熱を持って依頼し、李氏が快く応じたものである。

キャンバスが何枚も打ち付けられ、どのキャンバスも赤一色で塗りつくされていたのです。ぼくはびっくりして何をしているのか聞いてみました。留学するまで絵具は混ぜて使うものだと思っていたけれど、ドイツでは、自分の色は絵具を練って作るものだと教わった。それで自分の赤を求めて日々絵具を練って、キャンバスに赤を塗っているということでした。アトリエにあったデッサンの束も見せてもらいました。そこには鉛筆で千態万状の形が描かれていました。それまで目にしたことがない複雑で美しい形ばかりでした。『キャンバスに色を塗る一方で、未知の形を考えていくのが勉強なんだ。現代美術の基礎は、色と形なのだから』という三川さんの言葉に、ぼくはとても納得して、靄が晴れたようにすっきりしたのを覚えています」

一九八三年に訪れたドイツで実川は初めてヨーゼフ・ボイスの作品を観た。ボイスはデュッセルドルフ芸術アカデミーの教授で、三川の師であるゲルハルト・ヘーメの友人だった。社会を挑発する現代美術家としてドイツで話題になっていると三川から教えられた。ジーンズをコンクリートで固めた作品だったり、ラードでドロドロにしたものがあったり。

「コレが芸術か?」と葛藤するほど衝撃を受けた。

「ぼくは、その瞬間にはわからなくても、心や感覚に引っかかる作品と出会ったときには、それが手持ちの金で買えるものならば買ってしまう。ボイスの作品も買ってきたし、それからけっこう集めました。来る日も来る日も飽きもせずに眺めているんですよ。最初はわからなくても、だんだん謎が解けていくのが好き。だから画商になったということもあるんですね。日本に持ち帰ったボイスの水彩画は、美術評論家の千葉成夫さんが学生時代に見に来られています。ボイスの水彩画を展示したのはうちが初めてで、まだまだ珍しかったのです」

実川からこの話を聞いたときに、これこそが現代美術の醍醐味だと感じた。現代美術は凝り固まった自分の考えや感性を変えるきっかけを与えてくれるものなのだ。最初はわからなかったり、嫌な感じがしたり、違和感を覚えたりするけれど、それを見なかったことにするのではなくて、見続けたり、記憶のどこかにしまっておいて時々出しては反芻する。そうすることでそれまではわからなかったり、見えなかったりしたものが、ある日すとんと腑に落ちて、自分の新しい一部になってくれる。人によっては、そのことが未来を大きく変えることになる。その不可思議な出会いをつくることも画商の仕事なのだろう。

Ⅶ 画商とコレクター

型破りのコレクター

一九七三年秋、フランスでは死後もなお人気の高い画家、ニコラ・ド・スタールの展覧会を自由が丘画廊は開催した。壁を飾った一枚に《海は、ヨット》がある。亡くなった一九五五年の作品で、ナイフで平板に塗られた海に、乳白色のヨットの帆のようなものがゆらゆら漂っている。具象とも抽象とも言えない。画面は無限に深いブルーに満ち、希望の光、静寂、孤独、永遠、さまざまなものが入り混じり、この作家の魂を感じずにはいられない。

この、日本におけるド・スタールの初の展覧会では、油彩四〇号一点、三〇号二点、コラージュ三〇号二点、十五号一点、版画数点が展示された。カタログには、パリの画商ジャック・デュブールと、のちに『ニコラ・ド・スタールの手紙』（六興出版、一九八四年）を訳編した美術評論家の大島辰雄が寄稿している。

ニコラ・ド・スタールを日本で紹介することができたのは、一九七一年、パリのジャック・デュブール画廊で見つけた一点七〇〇万円から八〇〇万円の作品の購入を即座に決断してくれたコレクターKのおかげである。

Kとは、電気メーカーの社長で、自由が丘画廊の顧客になったのは、まったくの偶然だった。

「Kさんは自由が丘画廊の近くにあった理髪店の常連でした。身体の大きな四〇代後半の男性でした。床屋の帰りにポロシャツにサンダルという格好でふらりと画廊に入ってきたんです。一九七一年の夏のことです。二度目か三度目だったかな、飾ってあったジャン・アトランの作品三点を見て『これを全部欲しい』と言ったんですよ。さすがのぼくも唖然としました。その時にはまだKさんが何者かまったく知らないしね。総額七〇〇万円から八〇〇万円で売ったはずですが、こんな買い方をする人は初めてでとにかく驚きました」

アトランは、実川にとって高校時代から好きな画家だった。

「アトランはアルジェリアで生まれて、ソルボンヌで哲学を学んでから画家になったんです。なぜそんなことを知っているかというと、ソルボンヌでアトランと親友だった岡本太郎が書いたものを読んだからです。彼が描くのはアフリカの大地の色や土俗性を帯びた半抽象画。アトランについては、画集はもちろん小さな記事まで片っ端から集めていました」

実川がKに売ったアトランは、南画廊から購入したものの一部だった。

「南画廊に遊びに行った折に飾ってあったので、志水さんに欲しいと言うと応じてくれました。志水さんがアトラン展をやろうと集めた作品だったそうです。志水さんは海外作家の個展を開く際には必ず作家を日本に招待していたのですが、一九六〇年にアトランが死んでしまい個展を諦めたということでした」

さて、アトランの絵を収めるために田園調布のK邸に行ったスタッフの石若眞理子が、

「実川さん、すごい豪邸だった。Ｋさんはものすごいお金持ちよ」と、いつもののほほんとした様子とは違って興奮しながら言うのを聞いて、実川のＫに対する興味が俄然湧いてきた。

「あとでわかったのですが、Ｋさんは、ビジネス界で有名なだけでなく、美術のコレクターとしても知られる存在でした。Ｋさんから絵を見に自宅に来いと誘われて、眞理ちゃんや石原くんと一緒に行ったんです。Ｋさんが蒐集していたのは、小絲源太郎や海老原喜之助、岡鹿之助などの近代絵画が中心でした。次々に見せられたけれど、おれは反応しなかった。まだ若造で強気だったからね。脳に刺激を与えてくれるのが美術の面白さで、現代美術に比べると近代絵画は刺激がなさすぎるように思えると、おれは屁理屈を言ったんです」

　Ｋは、媚びずに率直な意見を言う実川を、生意気なぶん刺激的な男だと思ったようだ。

　自由が丘画廊のスタッフだった竹内啓子は、「Ｋさんと実川さんはよく議論をしていたよね。でもＫさんは、実川さんから触発されることを喜んでいたんじゃないかな」と振り返る。

　Ｋは御曹司でありながら、進取の気性とバイタリティあふれる人物だった。仕事を離れた趣味の美術について、最新の知識と独自の見識をもつ人間と自由に議論を交わすことはＫにとって高揚感を味わえる時間だったに違いない。Ｋは、夕方になると毎日のように自由が丘画廊に立ち寄るようになった。

「ぼくと石原くんがパリに行くのを知って、君たちが二人ともいなくなると遊びに行くところがなくなって困るというので東京画廊と南画廊を紹介したんです。そのこともあって、Kさんは瞬く間に現代美術の有力なコレクターになっていったのです」

竹内の記憶は、実川と少し違う。

「実川さんたちが海外へ買い付けに行っている間に、他の画商がKさんの電話番号を聞いてきたんですよ。一九七〇年代は、具象絵画は売れていたけれど、現代美術の市場はまだできていなくて、ある意味、コレクターを取り合っていたんだと思う」

オイルショックによる円高で輸出が激減したことなどによって、Kの会社は傾いていく。

「現代美術を集めていたおかげで、倒産の際に美術品を売って苦境を乗り越えることができたとKさんが話してくれたことがあります。ばくにしても、金銭感覚のスケールがとてつもなく大きいKさんのおかげでどれだけ助けられたかわかりません」

反骨の野球少年から現代美術のコレクターへ

自由が丘画廊は開設間もない一九七〇年代初頭からコレクターに恵まれた。大恩人である中山久に今井彰、そしてK。さらに、レディメフファッション「馬里邑」の創業者で、古美術蒐集家の武道巨樹、化石の研究者として知られ妻と共に版画を展示する私設美術館「半原版画館」を開いた糸魚川淳二、このほか実名では紹介できない著名人もいる。

とりわけ実川にとって大切な存在といえるのは、下田賢司である。現代美術の優れたコレクターとして名高い下田は、実川にはかけがえのない友人でもある。

あまり表舞台に顔を出さない下田を最初に見かけたのは、二〇一九年三月十日、静岡県立美術館（以下、静岡県美）で開催された「1968年　激動の時代の芸術」展に関連した「北井一夫と考える2020年代のアーティスト像」と題した講座の会場だった。写真家の北井一夫が講師を務め、その特別ゲストに実川が招かれた折のことである。会場は小ぢんまりとした実技室で、下田は後ろの席で大きな身体を折りたたむように座り、柔和な表情で北井と実川を見守っていた。

講座の中で「良い絵を選ぶ眼」についての話題になると、実川は突然、壇上から下田に語りかけた。

「大金持ちじゃないほうが、まだ評価の定まらない画家に興味を抱くし、作品に対してもシビアになる。結果として良いコレクターになるんですよ。ね、下田さん」と。

下田に視線を向けると、はにかみながらも大らかな笑みを浮かべていた。

静岡県美は、下田自身にとってもつながりのある美術館である。信頼する実川の出身地が静岡県ということがあるのだろうか、下田は李禹煥や山口長男などコレクションの一部を静岡県美に寄託している。さらに、同館が二〇〇六年三月三日から四月四日まで開催した「我が愛しのコレクション〜静岡県美所蔵の現代作品にプライベートコレクションを交えて」では、下田コレクションの一部が紹介された。展覧会を企画した学芸員の川谷承子がいきさつを「静岡県立美術館紀要」にまとめている。そこに記されているように、下田のコレクションを最初に目にした人は、誰しも「玉手箱のふたを開けた」時と同じ驚きを感じるに違いない。

1990年以来、李禹煥や山口長男の作品を当館で寄託として預かる東京都板橋区の下田賢司氏宅に、作品の調査で初めて訪問したのは2004年夏のことであった。自宅ビルの一角に設けられた展示スペース「アート・スペース シモダ」は、その年閉鎖したばかりで、これまで展示スペースとして使用されていた空間に、1970年代以降、30年近くに渡り収集してきた作品が、箱に収められたまま保管されていた。油彩、立体、版画、現代陶芸、写真からなる1000点を超える作品を所蔵した経緯を下田氏に聞く中で、はじめは、そこに集められた作品に興味を持ち、美術館で紹介したいと考えた。その後も、何度か作品の調査を重ね、当館で、2006年3月3日〜4月4日に「我が愛しのコレクション〜静岡県美所蔵の現代作品にプライベートコレクションを交えて」

を開催し、下田氏の収集作品の一部を紹介する機会を得た。

川谷承子「画廊とコレクター」「静岡県立美術館紀要」、二〇〇九年

下田コレクションの中でも、とりわけ一九七四年から続けてきた山口長男と李禹煥の系統だった蒐集は、現在では屈指のものである。そのほかにも、斎藤義重、オノサト・トシノブ、ルチオ・フォンタナ、フランク・ステラ、エンリコ・カステラーニ、バーネット・ニューマン、フランシス・ベーコンなど挙げきれないほど重要な現代美術作家たちの絵画、八木一夫、鈴木治、辻勘之の陶作品、植田正治、森山大道、北井一夫、橋本照嵩、オノデラユキといった写真作品など一〇〇〇点以上に及ぶ。

そのコレクションのクオリティの高さはもちろんのこと、財閥の御曹司ではない、一市民である青年が、これほどのコレクションを築き上げたということが心を打つ。一市民であっても良質なコレクターになれると、希望を与えてくれる。

前述の静岡県美での講座の中で実川は、「一九六九年にぼくが画廊を開く以前は、現代美術を扱う画廊はあっても、商売の相手は美術館や企業、大金持ちで、小市民は相手にされなかった。ぼく自身、絵が好きな青年だったので、ぼくと同じような小市民が買えるような画廊があったらいいと思っていた。画廊を始めた背景にはそういうことがあった」と語っている。実川にとって下田は、理想のコレクターだったのだ。

下田は日本本土で空襲が激化する一九四四年二月に、現在の板橋区成増に生まれた。兄が一人と、妹が一人の三人兄弟の真ん中。両親とも農家の出身で、一家は成増に住んでいた。畑が広がるばかりだったこの地域には、下田が生まれる二年前の夏、首都攻防を担うための成増飛行場が建設され、神風特攻隊の出陣基地ともなっていた。

戦後の一九四七年に板橋区から独立して練馬区が誕生するとすぐに、成増飛行場跡とその周辺は占領軍に接収されて、軍人家族の宿舎が建設される。その地は米国の第十八代大統領グラント将軍の名に因んで「グラントハイツ」と命名され、のどかな農村に突如、「小さなアメリカ」が出現した。

「父は、のちにグラントハイツの入口で八百屋を営みました。セロリやレタスという西洋野菜や果物も扱ったんです。神田市場まで仕入れに行き、英語も話せないのに商売をしていた。働きすぎて身体をこわして寝込んでしまいました。そのあいだに考えたんでしょうね。野菜や果物はすぐに鮮度が落ちて売り物にならないわけですが、燃料は腐らない。それで燃料屋に商売替えしたわけです。小学生のうちから手伝わされたけれど、嫌でしたね。手が真っ黒になる。石油で手が荒れて、そこに木炭や石炭の粉が入って刺青をいれたみたいになって、いくら洗っても取れないんです」

田んぼの用水路でいくらでもドジョウが獲れるのどかな田園地帯と「小さなアメリカ」が

混在する環境で下田は生まれ育った。

小学校を卒業するまでは野球一筋の少年だった。七〇代の今も堂々とした体格で、元はプロ野球の選手だったと言っても通用するくらいだ。

「野球がやりたくて早稲田実業中等部に入ったのですが、簡単な入部試験に落ちて夢は絶たれました。兄の勧めでテニス部に所属しながら懸命に勉強はしたんですよ。でも先生の言うことをそのまま聞くタイプじゃなかったですね。教育実習に来た先生が前から三列までの真面目な生徒しか相手にしないので、わざとみんなを引き連れて校庭で野球をやったこともありました。教員室によばれて、副級長にもかかわらず何をやっているんだとどなられました。ぼくはその頃から、それでいいのか、おかしいじゃないか、と疑問に思ったことには躊躇せず逆らう。それは現代美術と同じだと思うんですね」

次男という比較的自由な立場だった下田は高校時代、卒業後は大学に進学し、やがては商売を成功させて両親を楽にさせたいという夢を描いていた。しかし、父は、商人には学問は必要なしという考えだった。一九六〇年代の大学進学率は十パーセント。実業で生きるなら、少しでも早く社会に出たほうがいいという認識が社会にはまだ根付いていた。

「兄弟で父を説得して、まず兄が中央大学の法学部に入りました。ぼくの大学進学は兄が応援してくれると思っていたのに、兄はコロッと変わって『お前が商売を継げ』と主張するようになったんです。両親が苦労して働いてきたのを知っているから、ぼくは進学をあきらめて十八歳で父と一緒に働き始めるんです。燃料店の仕事は過酷で、どんなに働いても土地の一坪も買えないよと母親が嘆いていましたね。

どうやったら利益がでるか一生懸命に考えました。成増は農村から住宅地へと変わりつつありました。店は川越街道に面していたので、練炭や木炭を置いた店舗を住宅設備のショールームにすることを考えつきました。住宅設備販売とは別に燃料販売も続けました。一九六四年、ぼくは二〇歳でした。それから知り合いの材木屋さん、大工さん、住宅設備の職人さんたちと組をつくって住宅設備の施工を請け負う事業も始めました」

弱冠二〇歳で住宅設備会社を経営するほど商才にたけた下田だが、美術への関心はいったいどこから生まれたものなのだろうか。

下田は忙しいなか、慶應大学の通信教育を受講したり、兄の影響でクラシック音楽を聴いたり自分を磨くことにも熱心だった。

「二〇歳で一念発起してオーディオを買い揃えました。JBLジムランのスピーカー、サンスイのアンプ、ガラード四〇一のレコードプレーヤーを特注で組んでもらった。モーツァルトの四〇番やベートーベン五番など、指揮者の異なるレコードを買って聞き比べるんです。カラヤンの来日公演にも兄が誘ってくれて、兄には感謝しています。ぼくは稼いでいたから、コンサートのチケット代は兄の分もぼくが払ったんですけどね（笑）」

この話を聞いて下田の芸術に対する好奇心の強さと、趣味への投資を惜しまない資質に触れた気がした。

下田が最初に手に入れた美術作品は陶芸だった。

「高校の友人が益子の加守田章二さんに弟子入りしていました。彼が作品展を開くたびに、喜んでもらいたくて値段が一番高くて大きな作品を買っていたんです。ある日、近所の知り合いで絵を描く人から、下田さん、それは違うよ、彼は下田さんが作品の良さをわかって買っていると思っている。同世代の芸術家には売れなくて困っている人がいっぱいいるんだよと教えてくれました。その時に自分が稼いだお金を、同じ時代に生きる芸術家のために役立てようと気づいたんです」

下田が趣味で投資をしたのは、二六歳で兄に勧められてゴルフの会員権を購入したのが最初だった。

「兄がこれからの商人はゴルフくらいできなくちゃだめだよ、お前とおれの分を買っておいたらと言うので、浦和ゴルフ倶楽部をはじめ七ヶ所のゴルフ場の会員権を二枚ずつ持っていました。でもぼくはゴルフがあまり好きじゃなかった。母親のような年齢のキャディさんが一人でツーバッグを押して歩くでしょう。それが嫌でね。坂道に差しかかると、ぼくは後ろから押していましたよ。ゴルフの会員権はオイルショックの時に全部手放して、それを美術品を買う資金にあてることにしました。自分の稼いだ金を芸術家のために役立てようと気づかせてもらった友人から、西武百貨店渋谷店の美術部にいた安福信二さんを紹介してもらい現代美術を買うなら自由が丘画廊がいいと実川さんのところへ連れていってもらったわけです」

一九七四年、下田は三〇歳だった。

この人なら騙されてもいい

自由が丘画廊へ足を運び、実川と話をしているうちに下田は、「実川さんは心底絵が好きで、現代美術を熱心に広めようとしている、そして、自分の知識を惜しみなく伝える人」だとわかってきた。「実川さんは真面目。嘘をつくような人でない」と確信した。その実川は下田に対して、「若いうちは古い絵を買っちゃいけない。自分の時代のものを買いなさい。ぼくに騙されたら、あなたは良い資産ができるよ」と言ったのだという。

下田は、この人に「騙されてみよう」と決めた。以来、下田と実川は惹かれ合い、二人のつながりは半世紀近く経った現在も続いている。

最初に出会った頃、実川から「下田さんは美術品をどうしたいの?」と尋ねられた。

「ぼくは知らなかったのですが、ちょうど第一次美術ブームが終わったあとで、絵を買うにはいいタイミングだったらしいのです。それで実川さんは、美術品を買ったり売ったりして儲けたいのか、それとも良いものを所有したいのか聞いたのですね。ぼくは、のちに美術の教科書に載るような作品が一点でも手に入れば嬉しいと答えました。すると実川さんは、わかった、すぐに儲からなくていいんですねといって山口長男の作品を勧めました。十八万円でした。そして、とにかく毎日観るように勧められました。実川さんは画商だから四六時中みて考えている。そうすると、その絵についていろいろなことがわかってくると言うんです。ぼくも自宅の寝室に飾って朝晩みました。最初に手に入れた山口先生の作品は、ベニヤ板に単色で色を重ねている平坦なもので、何も描かれてはいないんですけどね」

しばらくして、実川の画商としての本領を理解するできごとがあった。自由が丘画廊へ行くと、バーネット・ニューマンの作品が飾られていた。ニューマンはカラーフィールド・ペインティングの代表作家である。

「その作品も鮮やかな単色で平坦な印象のものでした。八〇万円ということでした。実川さん、いいものですかと尋ねると、そりゃいいもんだよと返ってきたので、くださいとお願いしました。一週間後に行くと、ニューマンの同じような作品が飾ってあって、他のコレクターと六〇万円でやりとりしていたんです。ぼくの不満が顔に出ていたんでしょうね。他の方が帰られたあとに、下田さんどうしたの？　と実川さんが探りを入れてきたので正直に話しました。実川さんは、ああ、そういうことね。引き取るから今度持ってきてねと言ってくれました。作品を返しにいくと、他の方とやりとりしていた例の作品がまだ壁にかかっていました。実川さんから、下田さん、二枚を並べてみてと言われて、自分が持っていた絵を包みから少しだけ出した途端、ぼくは『あっ、申し訳ありませんでした』とすべてを撤回していました。まったく同じような作品なのに、色の鮮やかさがまったく違ったのです。一号いくらで値段を決めるのではなく、作品ごとに値付けをするというプロの仕事がわかり、ますます実川さんってすごいと思うようになったのです」

山口長男に続いて、実川が下田に薦めたのが李禹煥だった。李がまだ世に広く知られる前の一九七五年、七六年頃である。

山口や李が自由が丘画廊に来ることがわかると、「山口先生がいらしてますよ」「今日は李さんが来るから下田さんもいらっしゃい」と誘いの電話が必ずあった。実川は、作家との食事会をよく開き、下田を誘ったという。食事をしながら打ち解けて、作家に創作について語ってもらうのである。

「実川さんからの誘いを受けると仕事が終わってから駆けつけるのですが、画家をはじめ大御所の美術評論家や大学教授といった錚々たる方々が座って会話しているでしょう。ぼくは気後れしちゃってね。だって、三〇歳そこその若造だったうえに、燃料を運んだ油まみれのジーパンのまま訪れることもしばしばでしたから。ぼくが後ろのほうに腰掛けていると、実川さんはこっちへいらっしゃいと輪の中へ誘ってくれて、権威ある先生たちとわけへだてなく扱ってくれました。実川さんは、誰に対しても平等だったんです。趣味の世界なんだから、みんな対等でいいんだよ、と実川さんは言ってくれた。これはぼくが実川さんから教わった最も大事なことなんです」

下田と顔見知りになってから、この話を何度聞いたかわからない。誰がいようが、どんな場だろうがぶれない実川の平等性は、新来者だった下田をどれほど勇気づけたことだろう。自由が丘画廊は下田にとって安全で大切な集いの場となっていった。

唯一無二の山口長男コレクション

山口長男が自由が丘画廊を訪れた日は、たいてい下田が山口を小平の自宅まで送った。

「帰り道ですからと言って、お送りしました。ぼくのうちがある成増と小平じゃまったく方向は違うんだけれどね。軽トラックの助手席に山口先生に座っていただいて自宅までお送りすると、奥様が待っていらして、水彩画をクルクルっと丸めて渡してくださるんです。山口先生が和紙に墨で点、点、点と筆を置いていった水墨画やポスターなども個人的にいただきました。その水墨画の和紙はくしゃくしゃで、実川さんに相談しました。『下田さん、それは重要な作品なんだよ。大事にするといいですよ』と実川さんから教えてもらって、きちんと額装してあります」

ところで山口の油彩は、キャンバスではなくベニヤ板に描かれていることは前にも触れた。額縁を外してみると、ベニヤ板の側面にだいたい五本ほどの棒線が書かれていると下田が教えてくれた。山口はベニヤ板に油絵具を塗るたびに側面に棒線を入れるのだ。乾いたら塗り、乾いたら塗りを繰り返す。そうして温かみのある陶のような質感が生まれる。

「山口先生の作品は、支持体がベニヤ板ですが、絵具を厚く塗り込んでいるために頑丈です。それでも実川さんは山口先生の作品は長く残らなくちゃいけないからと、強度が高い厚めのベニヤ板を特注して山口先生にお届けしていました。実川さんが用意したベニヤ板は裏が真っ黒に塗られていますから、裏を見れば『これは山口先生が自由が丘画廊のために描いたもの』だとすぐにわかります。実川さんはそこまで山口先生のことを大事にしていました」

実川は、若い頃から惚れ込み、小品を扱い続けてきた山口長男との関係をある時期、断つことになってしまった。その経緯を下田が語ってくれた。

「一九七九年頃のある日、実川さんは山口先生に画料が安すぎる、もっと正当に評価されなくちゃいけない。値上げをしたらどうですかとお話ししたそうです。ところが山口先生は、お前はそんなに金儲けをしたいのかと怒ってしまわれた。ぼくは山口先生のお宅に何度も伺っているからわかるのですが、裕福な暮らしをされていたわけじゃありません。実川さんはいろいろ考えて、斎藤義重さんの画料などと比較して提案したのです。決して金儲けしようと思ったわけじゃないことは、ぼくがよくわかっています」

それがどこでどう歪曲されたのか、自由が丘画廊は単独で値上げをしようとしているとか、作品を独占しようとしているなどと各方面で取り沙汰され、山口と実川の間には気まずさが生じてしまった。

「実川さんも引き下がりませんでした、ぼくは山口先生に頭を下げるつもりはない。でも、下田さんのコレクションには山口先生の絵は必要だから、下田さんまで関係を断つ必要はないと言ってくれました。自由が丘画廊の社員の方と一緒に山口先生がお亡くなりになるまで遊びに行かせていただきました。でもね、山口先生のところへ行くと、そのあと一週間は疲れが取れないんです。山口先生は人を寄せ付けない感じがあって、緊張してくたびれてしまう。家内は行かなきゃいいでしょうと言うけれど、やっぱり行きたいんですね」

下田は山口長男の油彩五〇点に加えて、一〇〇号以上の油彩から珍しいコラージュ、サインも入らなかった絶筆まで蒐集している。山口長男に誠意をもって接し、一途に追いかけた下田だから可能となった、比類のないコレクションである。

下田は、「ぼくは美術の知識がないから、実川さんに教えていただいたとおりに、素直に作品を集めてきただけ」と謙虚に言うが、もはやそうではない。戦後を代表する写真家である北井一夫が自らのエッセイ集で、下田の目についてふれている。

もう二〇年も前のことだが、この「スズメ」のオリジナルプリントをギャラリー「イルテンポ」で展示した時に、世界的に有名なコレクターの下田賢司が見に来てくれた。五枚のプリントはすぐに決めたのだが、この「スズメ」の前で行ったり来たりして迷っているようだった。じつは、これは何回やり直してもうまく焼けずに、時間切れで中途半端なままで展示していたのだった。

「下田さん、これのプリントが気に入らないんじゃないですか」と聞くと、「うん、ちょっとね」と言うのだった。

「わかりました。これ焼き直します」と言うと、「これもください」と言ってくれた。ほとんどの人は見ても判別できない階調の誤差だが、下田さんはその少しの誤差を見抜く目を持っていた。

北井一夫『写真家の記憶の抽斗(ひきだし)』日本カメラ社、二〇一七年

私設ギャラリー、アートスペース シモダ

一九九一年、下田は川越街道沿いの成増の店舗を八階建てのオフィスビルに建て替えた。そして、ビルの竣工と同時に七階のワンフロアに私設ギャラリーのアートスペース シモダを開設する。見る機会がないから現代美術は広がらないという思いが強く、良いものを見て

いただきたいという一念で実現させたのである。もちろん、作品を売るギャラリーではない。蒐集してきたコレクションを自身で企画展示する場だった。山口長男、李禹煥、前衛いけ花作家の中川幸夫、写真家の服部冬樹、植田正治、北井一夫、森山大道など作家ごとに作品を展示する企画があれば、李禹煥、山口長男、斎藤義重の絵画と、八木一夫、鈴木治、鯉江良二の陶作品、北井一夫、森山大道、植田正治の写真を一堂に会しての展示もあった。

李禹煥や中川幸夫、北井一夫、森山大道、鈴木治といった現役作家の企画展では、下田は必ず作家による講演会とレセプションパーティを開いてきた。作家と一般愛好者とのつながりをつくるためである。これを十五年続けた。

一路順風に見える下田にも苦労はあった。リーマン・ショックの煽りを受けて、ビルを維持するのに苦しかった時、助けてくれたのは絵画だった。アンディ・ウォーホルの十点組版画作品《マリリン》やフォンタナの油彩作品などを売却した。下田は言う。

「アメリカの作品はアメリカへ、イタリアの作品はイタリアへお返しするように考えています。でも国内作家の作品、とりわけ山口長男さんと李禹煥さんの作品は手離す気はありません。自由が丘画廊はなくなってしまったけれど、ぼくのコレクションをみれば、実川さんが何を扱ってきたのか、その凄さがおわかりいただけるはずです」

実川にとってこれほど画商冥利につきることはないだろう。

下田と話したり、食事を共にしたりして感じるのは、物腰の柔らかさと同時に、信念にもとづいて行動する意志の強さ、義理堅さが半端ではないということだ。

実川と出会った三〇歳の下田は、「この人に騙されてみよう」と決めた。下田はそのことを四〇年以上貫いて、すばらしいコレクションを築き上げてきた。また、自由が丘画廊を入口として芸術家たちと交流し、芸術的な刺激を受けることもできた。

実川もまた「下田さんの資産を確かなものにするために四六時中考えていた」と言う。

実川から受け取ったものの大きさをわかっているからこそ、下田は実川が大病を患った時も、引退した現在も陰に陽に実川を支え続けている。このような画商とコレクターの関係があることは、奇跡としか思えない。

2003年9月、日本橋室町にあったツァイト・フォト・サロンにて。左より、下田賢司、実川、石原悦郎の各氏　撮影=安齊重男

Ⅷ 集められた絵、集まった人々

思い出深い展覧会

「銀座の有名画廊の画廊主が実川さんについて探りを入れてきたよ」ある画家からそう打ち明けられたことがある。「実川のところでやるのは気になる作家ばかりだ。資金集めだって難しいはずだ。あいつの後ろには誰がついているのか」と聞いてきたのだ。

確かに一九七〇年後半になると、展覧会を開けば三〇点ほどの作品なら会期中に売れてしまうほど、自由が丘画廊には常連客がついていた。画家のほうから自由が丘画廊で個展をやらせてほしいと言われるほど、小さい画廊ながらも上昇気流にのっていたのだ。

「ぼくはすごく驚きました。後ろだてもへったくれもないし、金もない。ただスタッフや仲間には恵まれていました。眞理ちゃん（石若）や竹内さんはものすごく優秀で才能があったので、『この画家が気になるから展覧会をやりましょう』と率直に意見を言ってくれました。それに自由が丘画廊にはいろいろな画家や評論家が来て侃々諤々の話し合いをしていくでしょう。彼らの話を聞いていると、ここにこういう盲点があったかという筋が見えてくるんですね。そうした中から次の展覧会の内容はぼくが最終的に決断するという方法をとっていました」

そういう実川自身が「ものすごい勉強家だった」と竹内は言う。

「実川さんがヨーロッパであるアーティストに興味を持つとするでしょう。帰国してから古本屋さんを巡って、そのアーティストの図録から小さな記事が載っている美術雑誌までとことん集めるんです。トイレにも山積みでした。実川さん、学芸員をやっても成功したかもよ」

それに対して石若は、

「実川さんは、たしかに勉強家。でも実川さんは自分が興味ある対象について自由にやるのが好きで、誰かに言われても動かないから、学芸員はないと思う」

と冷静だ。当時の自由が丘画廊でもこんなふうにストレートに意見を交わしていたのだろうと想像できる。

どの企画展も労力と費用をかけて成し遂げたものだが、とりわけ実川にとって印象深い企画展について尋ねてみた。

「苦労してパリから持ってきたド・スタール。眞理ちゃんがアメリカで見つけてきたフランク・ステラ、どれも忘れられないね。ド・スタール展とフォンタナ展は二回やっているんだよね」

一九七七年三月三〇日から四月三〇日まで、自由が丘画廊ではニコラ・ド・スタールの二回目の企画展を開いている。一九七二年にジャック・デュブール画廊を訪れて以来、実川は年に一、二回はパリで画廊主のジャック・デュブールと会っていたのだが、一九七六年に彼と話をした折に「ド・スタールの作品も少なくなった。デッサンもほとんど売るものがなくなってきた」と言うのを聞いて、ド・スタールのデッサン、水彩の作品で展覧会を開こうと決めたのだ。デュブールの進言によってド・スタールの各時代の秀作を集めることができ、自由が丘画廊にとって意義のある企画展になった。ことばは通じなくても作家と絵画を愛しているという共通点がふたりを親密にさせ、秀れた画商とはなんぞやということを実川は教えられたのである。

デュブールが、ド・スタールの短い生涯の中で１９５０年以降開かれたド・スタール展にはすべて関わりを持っていることを欧米のコレクターや画商は知っている。ド・スタールの作品あるいは人間を語る時、ジャック・デュブールを除いて話しをすることはできない。日本の場合、余りないケースではあるが欧米には彼のようなタイプの画商が多い。また大きな存在となった画商は、ほとんどジャックと同様なタイプであることも事実だ。一人の秀れた作家を育てて行き、最後まで共に歩くというスタイル。

ジャック・デュブールのした仕事の大きさはド・スタールのコンプリートカタログまで製作したことであろう。カタログにはコレクターの名前まで明記して、作品の所在を明らかにしている。やはり、その作家に惚れ込んだ情熱がそれをさせたのに違いない。彼は、と同時に画商にとって大切な価格の設定を的確な方法で行う為でもあったと思う。

紛れもなく画商である。当然、作品の価格を維持し、上昇させることを考えている。また画商であるならば、それを出来るのが秀れた画商といえよう。

実川暢宏「ニコラ・ド・スタール」展カタログ　自由が丘画廊、一九七七年

ルチオ・フォンタナは、一九七一年にミラノを訪れ、スタジオ・マルコリーニでそのコレクションを見て以来、自由が丘画廊でやりたいと思い続けてきた作家だった。

一九五〇年代から六〇年代にかけて、日本でも盛んに戦後イタリアを代表する作家として美術雑誌で紹介され、世界的に重要な作家だと認められようとしていた。フォンタナと聞いて誰もが思い浮かべるのは、一つの色で塗られたキャンバスにナイフで一本、あるいは三本、七本と切り目が入れられている《空間概念》シリーズだろう。一見すると誰にでもできそうな表現だが、ここに込められた思想は唯一無二である。何世紀にもわたって誰も疑問をもたずに繰り返されてきた「絵画イコール平面」という常識を、フォンタナは一気に破壊して見せてくれた。

自由が丘画廊でのルチオ・フォンタナ展第一回展は、一九七七年十月に開催された。ローマのマールボロ画廊で仕入れた作品で、版画のほかに《空間概念 小劇場》シリーズが注目を集めた。小劇場シリーズは、キャンバスに水性塗料とラッカーを塗った板でつくられたもので、矩形の枠のなかにさまざまな形が踊っている作品である。第一回展は目標金額に近づ

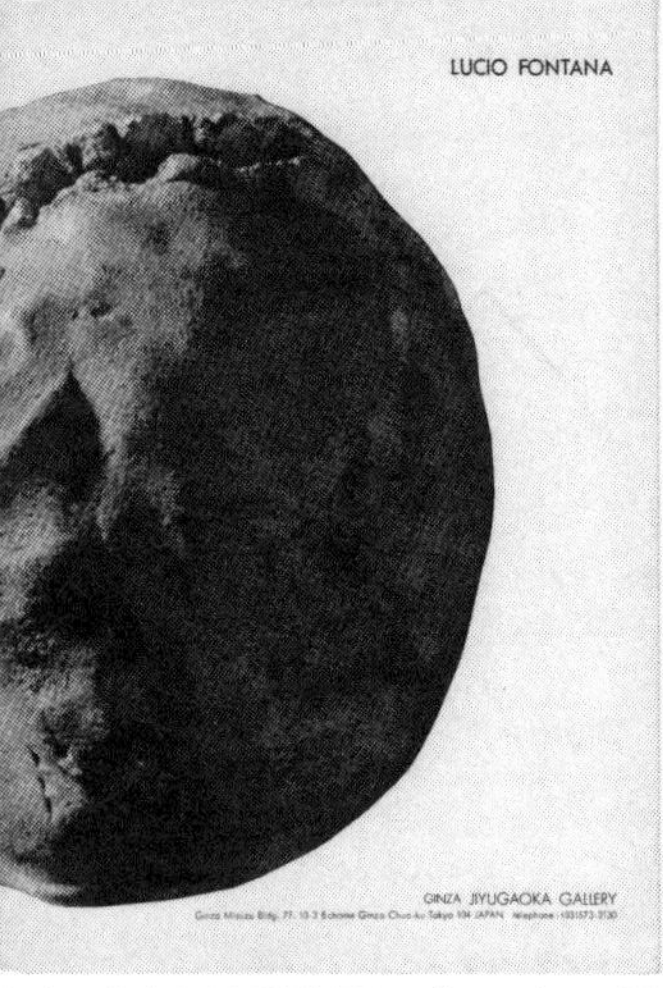

自由が丘画廊では企画展のたびにカタログを制作した。右上から反時計回りに「セルジュ・ポリアコフ展」(1974年)、「フランク・ステラ展」(1974年)、「フェルナンド・アルマン展」(1975年)、「ルチオ・フォンタナ展」(1981年)のカタログ

く売れ行きで、フォンタナの人気を垣間見ることができたという。

自由が丘画廊が開いた企画展でも「オブジェ100展」（一九七九年）と「コラージュ展」（一九八〇年）は、軽妙でユニークなものを好む実川らしいものだった。

「「オブジェ100展」は、パリやミラノに現代美術の買い付けに行くなかで、目的もないのに興味を惹かれるまま集めておいた作品を中心にした展示だった。

「旅行鞄に入ったり、手で機内に持ち込めたりする大きさのものばかりでした。これがかなりの数になったので軽い気持ちでやったのですが、展示してみると壮観でした。アルマン、リキテンスタイン、フォンタナ、オルデンバーグ、デ・クーニング、アルプ、クラインなど。関根伸夫や堀内正和、三木富雄、中西夏之ら国内作家のオブジェも並べました。今からすると指折りの作家ばかりで、一万円から数万円という手軽な価格であったために、ほとんど売れてしまいました。展覧会には顔馴染みの作家や評論家も顔を見せて掘り出し物を楽しんでいった。オルデンバーグといえば東京ビッグサイト近くに設置された巨大なノコギリの彫刻で日本でも知られている作家ですが、自由が丘画廊で展示した彼の小品は洋画家の猪熊弦一郎先生が買ってくださったんですよ」

このオブジェ展の成功を受けて翌年「コラージュ展」を企画すると、自分も出品したいという作家が続出した。最終的には二〇〇点を超える作品が集まり、近くにあった関根伸夫のアトリエも会場として使用された。

鬉嘔、山口長男、斎藤義重、大沢昌助、村井正誠、オノサト・トシノブ、難波田龍起、坂本善三、杉全直、高松次郎、建畠覚造、谷川晃一、堂本尚郎、堀内正和、宮脇愛子、澤田政廣、久保守、利根山光人、李禹煥、中西夏之、関根伸夫、吉田克郎など。

「思わぬ作家にも出品していただけたのは嬉しかった」と実川も言うように、現代美術のスターたちがこぞって参加している。「コラージュ展」は、作家たちを遊びの感覚で気軽にやってみようかという気持ちにさせるテーマだったのだろう。

デュシャンにまつわる二つの出来事

一九七八年一月十日から二九日に自由が丘画廊で開催された「マルセル・デュシャン小展示」も実川にとっては思い出深い展覧会である。

現代美術の父、あるいは現代美術の創始者と呼ばれるデュシャンを展示するこの企画は、自由が丘画廊によるものではなく、自由が丘画廊というサロンに集まる人々によって催されたというところが興味深い。常連客の一人で、デュシャンのコレクターとして知られる笠原正明が蒐集した作品を展示するというもので、瀧口修造が展覧会の監修を、東野芳明が実務を担当している点でも異例である。

しかも日本で本格的にデュシャンを取り上げた最初の展示で、現代のデュシャンピアン

（デュシャンに傾倒する者）にとっては夢のようなできごととして語り継がれている。

瀧口修造とデュシャンの縁は深い。瀧口は戦前からデュシャン論を書き、一九五八年にヴェネチア・ビエンナーレの日本代表及び審査員として渡欧した折にスペインのダリを訪ね、そこでデュシャン夫妻と出会い、その後、デュシャンと文通をとおして親密に交流をした。一方の東野芳明は、『マルセル・デュシャン』（美術出版社、一九七七年）で高い評価を受け、日本におけるデュシャン研究の第一人者とされていた。

気になるのは、その瀧口修造や東野芳明に、自由が丘画廊での小展示実現に向けて惜しみない援助をしようという気持ちにさせた笠原正明という人物だ。

笠原は当時三八歳、製薬会社に勤めるサラリーマンだった。一九六〇年代の日本ではほとんど知られていなかったデュシャンに焦点を定め、二八歳からコレクションを始めたという稀有な存在である。笠原にその経緯を語ってもらった。

「高校、大学は山岳部に所属して山登り一筋でしたが、あることをきっかけに美術に興味を持つようになり、画集を見たり評論を読んだりして絵を買うようになりました。第一次美術ブーム以前だったので、手の届く値段だったのです。そのうちサラリーマンでも安く手に入れることができ、歴史的に価値のあるコレクションをしたいと考えて辿りついたのがデュシャンでした。東野さんの『現代美術　ポロック以後』（美術出版社、一九六五年）を読んで、現代美術ならデュシャンだと確信したんです。何とかして作品を手にしたいと思うようになりましたが、日本では無理なように感じていました。一九六八年の初夏、京橋にあった東京国立近代美術館で開催された『日本におけるダダイスムからシュルレアリスムへ』でデュシャンのロトレリーフをみたんです。その後間もなくデュシャンは亡くなりました。その前後に瀧口修造先生が私家版『マルセル・デュシャン語録』（海藤日出男プロデュース及び製作、東京ローズ・セラヴィ、一九六八年）を出され、わたしは神田の田村書店でようやく手にいれました。二五万円でした。その付録としてついていた、左右それぞれから見ると別の顔が浮かびあがるウィルソン・リンカーン・システムの作品が、ようやく手に入れた唯一のものでした」

しかし、笠原のデュシャンへの冒険はここから始まるのである。海外雑誌の記事を綿密に調べ、デュシャンの研究者で画商でもあるアルトゥーロ・シュワルツの画廊にカタログを依頼し、作品とプライスリストを確認しながら、慣れない外貨送金で一品、一品手に入れていった。実川も笠原から、パリやミラノへ行く時にはデュシャンがあったら買ってきてほしいと頼まれた。

そうしたなかで笠原は、銀座にあった洋書専門のイエナ書店で瀧口修造を見かけた。

「瀧口先生ですか。実はわたしはデュシャンが好きで集めています、と話しかけました。先生は、名刺サイズの白い紙に名前とアドレスを書き、ひまな時に電話をしてくださいい、うちに来てください、と手渡してくださったのです。それから月に一度、日曜日に先生の書斎に伺いデュシャンについてお話をお聞きするようになりました。幸せな交流は先生が亡くなるまで続きました。わたしは一介の薬剤師で、研究者でも作家でもなかったので、先生は気兼ねなく接してくださったのだと思います。手に入れたデュシャンの作品をお持ちしたり、デュシャンの売り物が出た時にはご相談したり、先生のお口添えで手に入れたこともありました」

笠原がデュシャンの展示を考えたきっかけは、自由が丘画廊の常連であった東野芳明や横山正のあいだで、「日本ではデュシャンを見る機会がない」という話が出たことにあった。
「一九七七年に銀座のガレリア・グラフィカで開かれた『デュシャンとその友だち展』を見にいきました。その展示品は、一九四七年にパリで開かれた『シュルレアリスム国際展』のカタログをバラして額装したものでオリジナルではありませんでした。それではいけないと思い、瀧口先生にご相談すると先生は面白がって下さり、実川さんも賛成してくれて具体化していったのです」

展覧会の正式な名称は、「窓越しに……マルセル・デュシャン小展示」。デュシャンの代表作である《大ガラス》も《遺作》も展示されないのなら、展覧会とは称せないと瀧口から指摘され、小展示にした。案内状用にと瀧口から文章が寄せられ、案内状

Through the Window:
A Tribute to Marcel Duchamp

窓越しに・・・マルセル・デュシャン小展示

1978.1.10–29 月曜休廊
自由が丘画廊・東京

なんと近づきがたく、なんと親しげな存在。その全作品を一堂に眺めることは、もういろんな意味で不可能になった。しかし、かつて全作品を鞄に収めることを想いついた人。いまは窓越しに、足跡の一端をしのび、おそらくその人が微笑みかけるのを待つ。

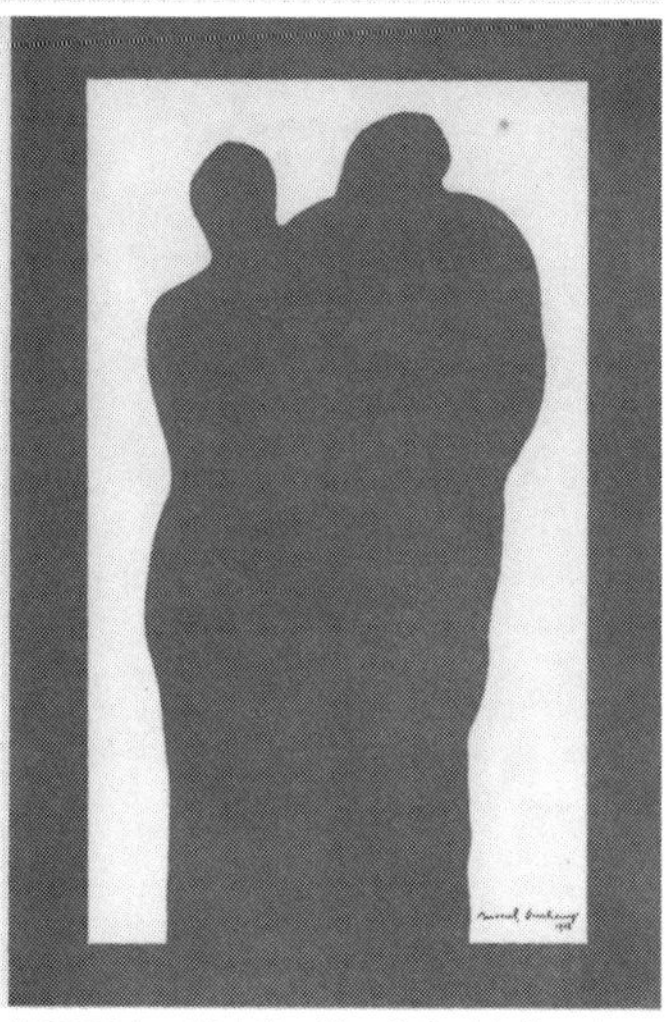

「窓越しに‥‥マルセル・デュシャン小展示」(1978年)の案内状。瀧口修造が文章を寄せ、デザインも手がけた

のデザインも瀧口が行った。

なんと近づきがたく、なんと親しげな存在。
その全作品を一堂に眺めることは、もういろんな意味で不可能になった。しかし、かつて全作品を鞄に収めることを想いついた人。
いまは窓越しに、足跡の一端をしのび、おそらくその人が微笑みかけるのを待つ。

瀧口修造

デュシャンの代表作《泉》(男性用便器)のデッサンを元にした版画《鏡の裏返し》をはじめ、写真コラージュ《カダケスの丘》、《ウィルソン・リンカーン・システムによるローズ・セラヴィ》、シルクスクリーン《はためく心臓》、視覚的回転盤一二枚組《ロトレリーフ》、デュシャン作品のミニチュア・レプリカ、写真、複製品など八〇点あまりを革製鞄につめた《旅行カバンの中の箱》など二〇数点が展示された。そのひとつ一つには東野芳明による手書きの解説が付けられていたという。

展示作品の一つ、《埃の栽培》はデュシャンと親交が深かったマン・レイが、デュシャンが制作中の作品《大ガラス》を撮影したものである。《大ガラス》の上には埃がたまっていて、表面を磨くのに使われた布切れや綿の詰めものも散らばっているのがマン・レイには非常に神秘的に見えたのだという。この《埃の栽培》は南画廊の志水楠男から借りたものだった。画廊スタッフだった竹内啓子がその時のことをよく覚えている。

「南画廊の志水さん自らが、《埃の栽培》をわざわざ持ってきてくださったのでとても驚きました。志水さんといえばみんなが一目を置く存在でしたから。その時も志水さんは実川さんと親密に話されていました。この時のデュシャンの小展示は、いろいろな人が楽しみながら協力しようという和気藹々とした雰囲気がありましたね」

瀧口の研究家である土渕信彦が小展示の様子をエッセイに残しているので引用しよう。土渕は「マルセル・デュシャン小展示」をきっかけに自由が丘画廊を訪れ、以来、常連の一人になった。

それまで見慣れていた展覧会とは様相が異なり、壁面も床も煉瓦造りで、棚にはマルティプルが平置きにされ、天井からはオブジェが吊るされたりしていた。横長のガラス窓で外部と隔てられた画廊の内部全体が、日常とは切り離された別の空間のようだった。

少し戸惑っていると、電話をしていた男性が声を掛けてくれた。画廊主の実川暢宏氏だった。簡単に自己紹介し、画廊のなかを行ったり来たりして時間を潰した。（略）

小一時間が経った頃、突然、皆が一斉に入口の方に視線を向けた。振り返って表を見ると、コートを着た瀧口修造がステッキに摑まって佇んでいた。一瞬、時間が止まったかのような、静謐な存在感だった。窓越しに会場の様子を見て、ホッとしたような表情を浮かべていた。その傍らでニコニコしている男性が笠原氏らしく、連れ立って来たようだった。

実川氏が恐縮しながら「車でお

「窓越しに‥‥マルセル・デュシャン小展示」の際に瀧口修造氏を囲んで撮影。前列左より竹内啓子、ひとり置いて瀧口修造、ガリバー安土、安福信二の各氏。後列左より、天童大人、ひとり置いて実川、東野芳明、笠原正明、笠原夫人、横山正、森山京子の各氏　撮影=安齊重男

迎えに行きましたのに」と言って、画廊の中へと案内した。少しお疲れの様子で、勧められるまま、入口の脇の、直前まで私が座っていた応接椅子に腰を下ろした。お茶を飲んで一息入れたが、挨拶もそこそこに立ち上がると、並べられた作品を丁寧に、一つまた一つと、眼鏡越しに覗き込んだ。鑑賞する、愛でるというよりは、観察する、確認するというような趣だった。（略）

やがて東野芳明氏、横山正氏も加わって、デュシャン談義に花が咲き、話は一向に尽きないようだった。こうした様子を見ているだけで胸がいっぱいになってしまった。この時の姿は写真家安齊重男によって撮影され、出版物の表紙にも用いられている。

土渕信彦「瀧口修造の方舟」第二回（ときの忘れものブログ、二〇一二年、二〇二二年六月三日閲覧）

「窓越しに……マルセル・デュシャン小展示」は、日本におけるデュシャン史にとって重要な展覧会でありながら、ほとんど知られていない。けれども写真家の安齊重男が会期中に撮影した紙焼きの中に、デュシャンの作品とともにいる瀧口修造の姿を見つけることができる。そして、それらの写真は国立新美術館に所蔵されている。また、マン・レイの研究と収集を行う石原輝雄が瀧口修造研究会会報「橄欖 第五号」（瀧口修造研究会、二〇二一年）において、文章と展示参考図とによって「窓越しに……マルセル・デュシャン小展示」を詳細にトレースし、後世に伝えようとしている。

この展覧会の前後、自由が丘画廊の常連たちは、デュシャンに関するもうひとつの話題で盛り上がっていた。東野芳明からデュシャンの《彼女の独身者たちによって裸にされた花嫁、さえも》（通称、《大ガラス》）のレプリカを東京大学の美術博物館（現・駒場博物館）に入れようという話が持ち込まれ、議論が行われていた。もちろん実川もその談議のなかにいた。

「デュシャンの未亡人から、瀧口先生と東野さんがやってくれるならいいと許可が出たということだったのですが、総額二〇〇〇万円を出してくれるスポンサーが見つかりませんでした。ぼくも外野ながら、東大のような秀才が集まる場所にこそデュシャンの突拍子もない作品が必要だと勝手な考えを吹き込んだんです。当時は東京大学教養学部の助教授（現・名誉教授）だった横山正先生が面白がって、同じ学部の小林康夫さん、岩佐鉄男さんに協力を仰いで何とか入れられないかと話したんです」

その結果、東京大学創立一三〇周年記念の一環として導入されることが決まり、デュシャンの《大ガラス》東京ヴァージョンは一九八〇年に完成した。これは今も東京大学駒場キャンパスの一画に立つ一九三五年竣工の駒場博物館のシンボルとして飾られ、誰でも見ることができる。

デュシャンにまつわる二つの出来事について、東京大学名誉教授の小林康夫が、同じく東京大学名誉教授の岩佐鉄男と共訳した『デュシャンの世界』のあとがきの冒頭でそのことに触れている。

いま、東京・自由が丘画廊で、『窓越しに……』と題されて、日本初のデュシャンの作品展が開かれている。また、瀧口修造氏、東野芳明氏、横山正氏などを中心として、デュシャンとの生前の約束に基づき、『大ガラス』の世界で三番目、しかも最後の創造的なレプリカ（つまり四番目のオリジナル）をつくる作業がはじめられようともしている。この翻訳も、実は、レプリカ作成のための基礎的研究の一環として行なわれたものにほかならないが、今後のデュシャン理解や研究の一助となれば、訳者としては望外の喜びである。

M・デュシャン、P・カバンヌ『デュシャンの世界』岩佐鉄男、小林康夫共訳、朝日出版社、一九七八年

実川自身「ぼくは外野」と言っているように、デュシャンにまつわる二つの出来事の主役は自由が丘画廊の常連たちである。実川がつくりあげた、さまざまな人が自由に会話や議論を楽しむ「場」がその舞台となったことを記憶に留めておきたい。

示唆を与えてくれた人たち

企画展を開催しないふだんの自由が丘画廊では、レンガ張りの壁に掛けられた二枚の絵が訪れる人を出迎えた。山口長男の《双つの山》、そして靉嘔の《アダムとイヴ》。どちらも大きなサイズで、実川はこの二枚を画廊のシンボルにし、十年間この二枚を飾り続けた。研ぎ澄まされた構成の厳しさと、油絵具を塗り重ねた表情のぬくもりが共存する《双つの山》は、実川にとって非常に重要な作品だった。一方の、《アダムとイヴ》は、アダムとイヴというモチーフに赤から緑までの可視光線が重ねられた鮮やかで生命力溢れる作品で、こちらは今、東京都現代美術館で所蔵されている。

自由が丘画廊のシンボルだった靉嘔《アダムとイヴ》と山口長男《双つの山》　写真提供＝実川暢宏

美術評論家の瀬木慎一は、その頃の自由が丘画廊を擁護してくれる数少ない評論家の一人だった。

「一九七〇年後半になると、二〇代から三〇代の若者たちが次々と画廊を始めています。画廊は、家賃やその他の経費を考えると簡単に開業できるものではないのですが、若い世代がいとも簡単に参入してくるのは驚きでした。美術が身近なものになる兆候だったのでしょう。そんな折に瀬木さんからある提案をされました。瀬木さんは、若い世代の画商たちがアート・フェアをやれば、現代美術が広がる起爆剤になるのではないかと考えていたようでした。ぼくは画廊のしがらみから脱却できる良いチャンスだと思いました。若い世代の画商には、既成の画廊に対する遠慮がハナからなくて頼もしく感じていました。南画廊の志水さんは、若い人が中心になってやるのは良いことだと励ましてくれました。若い画廊には、美術商相互で情報や美術品を交換する交換会にも入れない画廊があったので、経営的にも少しは寄与できると考えて、若い画商たちに檄を飛ばして実現へと向かいました」

一九七七年、「若い画商の広場展」と称して十一の画商が参加し、東京セントラル美術館（現・セントラルミュージアム銀座）の主催で開催された。アート・フェアの走りのようなものだった。

慶應大学の教授だった衛藤駿も実川に重要な刺激を与えてくれた。日本の中世美術の水墨画の研究者で、雪村の専門家として知られている。衛藤のいきつけのバーが自由が丘画廊の近くにあり、その開店前によく現れた。

「衛藤さんは、美術には理論が重要だが、それ以上に感性を磨くことが大事だと考えていました。感性を知的なもので理論武装することがこれからの美術に関わる人間には求められると言うのです。学生のゼミを自由が丘画廊でやってほしいとよくおっしゃっていましたし、実際に慶應大学の学生がよく自由が丘画廊に来ました。あとで知ったことですが、美術評論家で、慶應で美学を教えていた近藤幸夫さんや、森美術館特別顧問の南條史生さんはその時の学生だったそうです。一九七〇年代中頃のことです」

優れたアーティストや、よく物事を考えている人から「話を聞く」ことを実川はとても大切にしていた。衛藤から教わったのは、「美に関わる人間にとっては、いいものを多くみることと、じっくり考えることの両方が大事」ということだった。とりわけ実川が重心を置いているのは、「じっくり考える」ことだった。そのためには導きの糸が必要で、きっかけになるのが「会話」なのである。

「優れたアーティストには優れた友だちがいます。会話から示唆を受け取ることができるからでしょう。表現者ではない我々だって気づきを与えてくれる友人との会話は大切にしたいし、予期せぬ人脈もじっくり考えるための糸口になってくれる。刺激を与えてくれる人との出会いには貪欲になったほうがいい。そういう意味で多彩な人材が集まる自由が丘画廊でのむだ話というか、雑談からは刺激を受けましたね」

実川がパリやミラノから買い付けてきた作品が議論の対象になることも度々だった。ある時、実川は、ゴミを透明な箱に詰めたアルマンの作品を展示していた。通称、「アルマンのゴミ」と呼ばれるもので、アルマンは、廃物を芸術作品に変容させることで第二次世界大戦後の大量消費社会の生産・消費・廃棄のメカニズムを批判していた。

「当時は、日本を代表するインテリである衛藤さんでも、なぜゴミがアートなのかを説明することはできませんでした。アルマン自身は、ゴミそのものではなく、行為がアートなんだと言っているのですが、理解するのは非常に難しかった。でもそのことをみんなでワーワーギャーギャー議論することが大事だったんです」

草間彌生に惚れ込んだある画商

同業者はライバルであるが、情報交換をしたり助け合ったりできる仲間にもなりうる。実川は豪放磊落で人懐っこく、現代美術を広げたいという志を持っているため、さまざまな同業者と交流してきた。アメリカ、ヨーロッパ、日本の現代美術を扱う世界的画商である「イケダ・ギャラリー」の池田昭とは、池田が若いころには共にパリの安宿に泊まり、一緒に絵画を買い付けた仲だし、一九七〇年代から先端的なアーティストを日本に招いて紹介した「ギャルリー・ワタリ」ならびに「ワタリウム美術館」創設者である和多利恵津子とはお互いのギャラリーを行き来して作品を交換したり、パリで遭遇したりという間柄だった。

実川の個性的な企画を学びたいと、自由が丘画廊のスタッフとして働いたことのある画商もいる。実川よりも一つ年上で、神戸大学で美術史を学んだあと日動画廊に入り、一九七〇年代前半には西武百貨店渋谷店の美術画廊に勤めていた安福信二である。

「安福さんは、自由が丘駅から自宅までの帰り道の途中にうちの画廊があったので、よく立ち寄ってくれました。彼は美術品の梱包が得意でね、ぼくらが必死になってやっているのを見て、いつも助け舟を出してくれました」

安福と組んで西武百貨店渋谷店でアンディ・ウォーホル展を開いたこともある。ある日、アメリカのマース・カニングハム舞踊団の一員だと名乗る清川という日本人が自由が丘画廊を訪ねてきた。リーダーのマース・カニングハムはモダンダンスの巨匠と呼ばれる人で、アンディ・ウォーホルやイサム・ノグチらと実験的な作品を制作したことでも知られている。

「その人がなぜ自由が丘画廊にやってきたのかはわかりません。彼はウォーホルの版画《ショット》を十枚持っていて、ケネディ大統領の暗殺を契機に作られたと説明しました。そして、これが売れなかったらアメリカへ帰れないと繰り返し言うのです。自由が丘画廊で企画展をやっても売れる自信がありませんでした。安福氏に相談をして自由が丘画廊の企画で、会場は西武百貨店渋谷店ということで展覧会をすることになりました。一九七一年のことで、これは日本におけるウォーホルの初めての展覧会でした。といってもそのことを知ったのは一九八〇年代に入ってからのことでした。百貨店の大丸がウォーホルの展覧会をやることになり、図録の製作者が確認に訪れてそのことを知らされました」

アメリカン・ポップの旗手として騒がれていたウォーホルだったが、見事なほど売れなかった。《ショット》はすべて知り合いのコレクションに収まることになった。

それから五年後の一九七六年、安福は自由が丘画廊のスタッフになった。留学した石原と入れ違いのタイミングで入ってきたのだ。知性的で物静か。美術に対して造詣が深いのに偉ぶらない。そのうえジョーク好きだから、常連客に人気があった。けれども安福の在籍は三年と長くはなかった。安福は前衛芸術画家の草間彌生と関わり、その魔力に引かれて、実川とは別の道へゆくことになる。前衛の女王の異名を持つ草間だったが、一九七三年に帰国してからは無名に近い状態だった。

「一九七九年だったと思います。安福さんから草間さんの企画展をやらないかと相談されたけど断りました。ぼくは草間さんを帰国直後から知っていたし、自由が丘画廊へも二、三度訪ねてきています。草間さんの絵には惹かれるものがありましたが、山口長男さんと李禹煥さんに力を注いでいたので、草間さんはお金がかかる作家だからと辞退しました。それにぼくは草間さんが怖かった。瞬きをせずにじっと睨むような感じがあるでしょう。そういう女性が苦手なんですよ」

安福は銀座にできた新画廊「ギャラリー・トーシン」に移籍して、一九八〇年七月に「草間彌生のセルフ・オブリタレイション（自己消滅展）」を開催している。結果は惨憺たるものでまったく売れなかった。しかし草間は気を落とすこともなく、同年秋に第二回展を開催した。ところがギャラリー・トーシンは社長交代であっけなく閉館してしまう。その後も安福は草間の展覧会をフジテレビ・ギャラリーに推薦したり、草間の版画の制作を現代版画センターに相談したりするなど、草間作品の普及に尽力していった。

「安福さんは銀座に『ギャラリー雲』という小さい画廊を作ります。草間さんは新作小品をどんどん持ち込むのですが、簡単には売れずに、草間さんへの支払いに四苦八苦したと聞いています。安福さんは交換会にも草間作品を出していました。小品で五万円から十万円という価格でしたが、それでも買う人はいませんでした」

草間は実験的なアート活動をしているアヴァンギャルドな作家というのが当時の美術関係者の見方で、売れる、売れないにかかわらずその前衛性は飛び抜けていた。

「草間さんはとにかく描き続け、つくり続ける作家でした。この姿勢はアーティストを目指す人のお手本になると思います。売れない時期にも一部の支持者が必死になって草間さんを支えていました。周囲が放っておけなくなるような狂気が草間さんにはあったんです。今の若い作家には感じられなくなってしまいましたね。草間さんが売れるようになるのは、二〇〇〇年前後のこと。南瓜、水玉、網目など、わかりやすい草間さんは国内外で一気に売れる作家となっていきました。昔から彼女のことを知るぼくらにとっては驚きでした。草間さんほど価格が上がった作家はいません。でも残念なことに、安福さんのように懸命になって世話をしながら、恩恵を受けることのなかった画商も少なくないんじゃないかな」

いかに才能がある芸術家でも世に認められるかどうかのタイミングを計るのは難しい。それが没後の場合だってある。そうなる危惧を抱きながらも、惚れ込んだ芸術家が花開くために力を注がずにいられないのが画商というものなのだろう。

癖のある同業者、洲之内徹のこと

バタバタとうるさいエンジン音を響かせながら古びたワーゲンのビートルに乗って洲之内徹が来るのは必ず午後の二時か三時だった。味があるというか、よれよれというか、年季の入った革ジャンをいつも着込んでいた。

洲之内徹といえば、一九七四年から「藝術新潮」で始めた連載エッセイ「気まぐれ美術館」の筆者として、また、銀座にあった現代画廊の画廊主として美術ファンには知られている。もとは松山中学から東京美術学校(現・東京藝大)建築科へ進んだ秀才である。在学中にプロレタリア運動に参加して放校となり、徴兵ののちに「転向」すると中国山西省太原で洲之内公館と呼ばれる諜報機関を運営していた。戦時中はエリート・スパイだったのだ。その体験からだろうか、洲之内は終生負を背負っていた。戦後は小説を書き、芥川賞に二度ノミネートされている。
実川が出会った一九六〇年、洲之内は現代画廊の番頭をしていた。洲之内の友人で小説家の田村泰次郎が一九五九年に創業したのが現代画廊で、洲之内は田村に請われて運営を手伝っていた。二年ほどで田村は経営を退き、洲之内があとを引き継ぐことになる。パリから鳴り物入りで帰国した斎藤寿一が第一回個展を現代画廊で開催しており、実川はこの時に洲之内の存在を知った。洲之内は、生涯のほとんどを大森の木造アパートの四畳半で過ごした。画家の岡鹿之助と懇意にしており、田園調布にある岡のアトリエを訪ねた帰りに自由が丘画廊に立ち寄るのだった。

「洲之内さんはいつも貧乏ったらしい格好をして、そのくせ女にもてるんですよ。美人で金のある女性をいつも恋人にしていたことは知っています。ぼくはお金のない画商でねぇと始まって。あの人、ポツポツしか喋らないけど。同情を引く話の持っていき方がうまいの。いつの間にかペースに乗せられて、実川さん、この絵、ぼくに譲らない？　となる。ぼくが十万円ならいいよと言うと、二万円出して、あとは自分の持っている絵で支払わせてと交渉してくる。有名な人のデッサンとか描きかけのものとか訳のわからないものを持ってきて、これ十五万円くらいの価値があるからさ、残りの八万円はこれにしておいてと。ぼくなんかまだ三〇代だったでしょう。古茂田守介とか何点かを安く巻き上げられましたよ」

田園調布には良家の子女が通う絵画研究所があり、その後に名をなす画家が講師をしていた。子どもの親が買った画家たちの絵が自由が丘画廊に持ち込まれることが多く、洲之内はそれを目当てに自由が丘画廊を訪れたのだ。

「洲之内さんはじっくり構えて座っている。ぼくも若いから洲之内さんにいろいろ聞きましたよ。洲之内さんは、新潟の佐藤哲三とか、病苦で早くなくなったり、自殺したりした作家を発掘したでしょう。陰では墓掘り名人と呼ばれていたんですよ。ぼくなんか絵だけじゃなく、情報も巻き上げられた。彼が聞きたい情報はすべて聞き取っていっちゃう。洲之内さんは六〇代前半で、ぼくよりも二〇歳以上も年上。しかも経験が違うじゃない。赤子の手をひねるのと同じで、いとも簡単にしてやられましたね。大人と子どもでした」

洲之内は、「他人に対して好意を持っているのか、悪意を持っているのか、まるでわからなかった。実際に会う洲之内さんと、絵のことを文章で書く洲之内さんは全く違った」とも実川は言う。洲之内の旧友で小説家だった大原富枝は、その著作『彼もまた神の愛でし子か——洲之内徹の生涯』(ウェッジ文庫、二〇〇八年)で、洲之内には「底知れぬ虚無とある種の残虐性、底知れぬ自己愛があった。同時に彼には、美を求める誠実な心、『美のないものなど愛せるか』という強烈なものがあった」というようなことを書いている。

実川の洲之内への心証は、未だにあまり良くない。それでも最近ようやく、アートという虚の世界を実ある仕事にしなければいけない画商の先達である洲之内徹が少し理解できるようになったと言う。途方もなく複雑な心を持ち、美に対して深い愛を抱いていた洲之内と、わずかながら時間を共有したことは実川の人生を面白くしていることは間違いない。

実際に洲之内と実川は、新潟蒲原平野を描いた画家であり、洲之内が惚れ込んで紹介したことで再び光を浴びたともいえる、佐藤哲三をめぐって少なからぬかかわり合いがあった。まずは一九七〇年代前半、Kコレクションから日本美術品競売株式会社に出品された佐藤哲三の作品を実川が購入し、その絵はのちに洲之内コレクションに入って現在は宮城県美術館に所蔵されている。

そして洲之内が亡くなり十年ほどたった一九九四年、実川は以前からの知り合いだったKコレクションの持ち主であるK先生宅の蔵の中から、佐藤哲三の埋もれていた作品《夜景》を発掘した。キャンバスの「木枠の右上にやや紫がかった色、筆で勢いのよい字で『夜景、佐藤哲三、1952.11』と書かれていました」と新潟の文化批評誌「風だるま」(文化現場、一九九五年)に寄せた随筆の中で書いている。同じ随筆には「この絵の構図は、あの代表作の『みぞれ』に酷似していることに気付いたのです」「私の推測ですが、この絵を現場で描いている間にみぞれが降り、そのみぞれの感動が名作『みぞれ』を生んだのではないでしょうか」「『みぞれ』は夫人が語られるように、アトリエで描かれた絵だと思います。一方、『夜景』は現場で描かれた、としか言い様のない勢いのあるタッチで描かれています」と続く。《みぞれ》は、「彼の代表作であることを、私は疑わない」と洲之内が『絵のなかの散歩』(新潮社、一九七三年)で評価した作品だ。現代美術を専門にする実川が佐藤哲三の作品にこだわるのは不思議だが、十代の終わりに佐藤哲三の唯一の画集を古本屋でみつけて心を震わせて以来、実川にとっても気になる作家であり続けていたのだ。

一九七〇年代の自由が丘画廊に、ほぼ連日訪れては、まるで自分のオフィスのような感じで人と会い、原稿書きをする男がいた。

小コレクターの会の主宰者で、参加者の心を鷲摑みにしながら会場を仕切ったオークショニアの尾崎正教である。もとは小学校の美術教師だったが、久保貞次郎が提唱する創造主義美術教育運動に触れるなかで教職を辞職し、小コレクター運動を推進していた。

「一九六〇年代半ばから京橋の南画廊で開催された小コレクターの会の主宰者というのが、尾崎さんが公に名前を出した最初だったのではないでしょうか。尾崎さんはおおらかで不思議と人を魅了する力を持っていました。版画を巧みに売りつけるのですが、売りつけられた人がハッピーになるんです。コレクターの間では有名でした。うちが小コレクターの会の会場になってからは夕方になると毎日のようにやってきました。その尾崎さんとぼくはよく話しました。美術館への理想を話題にすることもありました。今では想像できませんが、公立の美術館は片手で数えるほどしかありませんでした。ほとんどの人は美術館公立論でしたが、ぼくたちは私立美術館こそ価値がある、その方向で動かないと現代美術は広がらないと考えていたんです。尾崎さんは一九七六年に、千葉の長南町に倉庫を建てて磯辺行久美術館を開館しています。その実行力にはたびたび驚かされました」

その頃、尾崎が二人の青年を伴って自由が丘画廊へやってきた。青年のひとりは、現在は東京・駒込の画廊「ときの忘れもの」のディレクターを務める綿貫不二夫だった。当時、綿貫は毎日新聞社に在籍し、会員制による共同版元を立ち上げて現代作家の版画を出版し、版画というメディアを通して日本全国に現代美術を広げたいという、壮大な企画を展開しようとしていた。それが一九七四年に誕生した現代版画センターである。綿貫が所属していた毎日新聞開発株式会社の代表取締役・西本董が代表、久保貞次郎が顧問、尾崎正教が事務局長、綿貫と橋本凌一が事務次長という体制でスタートした。

「現代版画センターは久保貞次郎先生や尾崎正教さんの小コレクター運動の思想の延長線上に登場し、若い人たちが中心になって活動していきました。具象の絵画が絶対だということに疑問を持つ人々が彼らの動きに賛同し、現代版画センターはまたたくまに広がりました。けれども一九八五年に現代版画センターは倒産します。数年後、新潟で尾崎さんにばったりお会いすると、かつてオークションをした街で出会った賛同者を訪ね歩き、個人の小さな美術館『わたくし美術館』設立を説いて回っているということでした。仙人のようでしたね。尾崎さんは八〇年代から『草間彌生さんは日本最大の作家だ』『草間さんに文化勲章を!』と盛んに言っていたんだから、奇異に感じる人も少なくなかったけど、先見の明がありましたね。現代美術の売れない時代に、李禹煥さんや草間さんなど現代作家の作品を地方のコレクターの元に届けようと、作品を両手にぶらさげて、リュックを背負い一人で全国を行脚していました。あのセンスと行動力は見習うべきですね」

実川が「現代美術の最高の伝道師」と呼ぶ尾崎正教のことは、忘れ去られようとしている。美術史の篩にかけられて残らなかった人や事柄にも大切な事実があると信じたい。

IX

画商という商売は、麻薬みたいなもの

「銀座へ出てやろう」

「お客さんが入りにくい、閉じた空間にしてほしい」

一九八〇年十月、自由が丘画廊は銀座に進出することになり、実川は内装設計を依頼した横山正にこんな注文をつけたという。

横山正は、東大教授であり、自由が丘画廊の常連の一人だった。前章でもふれたように、東大美術博物館にマルセル・デュシャンの《大ガラス》東京ヴァージョンを設置する際に制作をオーガナイズしている。建築学者で空間史や禅と造園などの著作が多いが、現代美術にもかかわり、新潟県新津市（現・新潟市）の美術館なども設計した。

銀座 自由が丘画廊が開業したのは、三原通り沿いに新築された三鈴ビルの七階である。同じビルの一階には「泰星画廊」が入っていたほか、銀座七、八丁目界隈に「シロタ画廊」「新井画廊」「鎌倉画廊」「村松画廊」「吉井画廊」「兜屋画廊」「インディペンデント・ギャラリー」「ギャラリー手」「ギャラリーQ」「77ギャラリー」などが並び、画廊めぐりをする人々が訪れるエリアだった。

けれども七階というのは、いかんせん入りにくい。その上内装でも近寄りにくくするとはどういうことだろう。

「一九七七年に自由が丘で開催したフォンタナ展や二度目のド・スタール展が話題になって、

ただ見るためだけに訪れる人が急増して虚しくなっていたんだよね」

自由が丘で最初の画廊を始めるときにも「秘密基地」のような場所選びにこだわった、と実川が言っていたことを思い出した。不特定多数の人にとっての訪れやすさではなく、懇意にしている画家や常連客にとっての居心地の良さこそ、実川が考える画廊として重要な環境だったのだろう。

自由が丘画廊の銀座出店の理由は複雑だったようだ。海外のスター作家の大作を扱うようになったことへのやっかみもあったのか、一九七〇年代終わりになると、先輩画廊からの自由が丘画廊に対する風当たりが強くなった。「自由が丘画廊はそのうち潰れそうだ」「潰してやる」という誹謗中傷がどこからともなく聞こえてきた。

かつてスタッフだった人間が銀座に画廊を出し、一部の常連客もそこへ流れていくようなこともあった。太っ腹でありながら、繊細で痛みを感じやすいところもあった実川には辛い時期だった。

「潰れそうだという根も葉もない噂を立てられるのなら、銀座へ出てやろう」という気持ちが高まった。実川の負けん気が疼いたのである。

開業のこけら落としにぶつけたのは、フォンタナ展だった。展示したのはフォンタナでも切り裂かれたタブローではなく、金属の塊そのものに見える作品である。ブロンズやテラコッタを素材にした彫刻に切り口や穴を加えた《空間概念 N（Nature）》シリーズで、「宇宙を想いおこさせる」ものだった。

「理論的には説明できないのですが、ぼくはフォンタナは二一世紀で最も重要な作家だと確信していました。頭が狂っていると思われるかもしれないけれど、ぼくにはフォンタナの評価が高まり、一億円ほどの値段になることは見えていたんです。ジュネーブのギャラリー・ボニエールのランクビスト氏を訪ねていって、有り金をぜんぶはたいてブロンズ作品をすべて買ってきたのです」

二〇〇万円から二五〇万円という価格をつけたが、しかし、まったく売れなかった。スタッフの竹内が全国の主要な美術館に展覧会の案内をしても、反応はなしという状況だった。

「康芳夫の師匠に当たる、有名なプロデューサーに神彰っているでしょう。その頃、神さんはしょっちゅう銀座 自由が丘画廊に遊びにきていたんです。神さんがブロンズ作品をいくらで売るんだと聞くので、二〇〇万円から二五〇万円と伝えると、だめだよ、そんなに安くちゃ。将来一億円になるんだったら、一〇〇〇万円以上にしなさい。そうすれば買い手がいるはずだと言うんです。神さんはつくづく大物でしたね」

神彰は、戦後の復興期にボリショイ劇場バレエ団やモスクワ国立ボリショイ・サーカス、レニングラード交響楽団などを次々に呼んで興行したことから「赤い呼び屋」と称された人物である。

「神さんはもちろん虚の世界を知っている人だし、ぼくにも同じ匂いを感じたのかもしれません」

美術館ブームの到来

実川が銀座にも画廊を出した理由には、美術館とのビジネスを軌道に乗せるには銀座のほうがいいという目論見もあった。

「少しずつだけれど美術館とのビジネスが始まっていたので、オフィスとしても機能させたいとも考えていました。全国規模での美術館開設ラッシュが一九七〇年代後半から始まっていましたからね」

一九七五年、池袋の西武百貨店が西武美術館をオープンした。百貨店で美術品を見せる催しは大正時代から行われていたものの、店内に美術館を設けた試みは日本初のものだった。西武美術館の運営方針は際立っていた。「ジャスパー・ジョーンズ回顧展」(一九七八年)や「ロイ・リキテンスタイン展」(一九八三年)、「アルマン展」(一九八五年)、「ヨーゼフ・ボイス展」(一九八四年)など、まだ認知度の低かった現代美術を中心に据えて社会に衝撃を与えた。

その後、新宿・伊勢丹美術館(一九七九年)、横浜・そごう美術館(一九八五年)、渋谷・東急Bunkamura ザ・ミュージアム(一九八八年)と百貨店での美術館オープンが続いていく。全国で公立の美術館建設ラッシュも始まった。一九七八年、先駆けと言われる山梨県立美術館が開館。一九八〇年代には、全国の県や各地域の中心都市に次々と公立美術館が誕生し、個性的な私立美術館も出来ていった。

実川も公立美術館から開業準備のための委員を依頼されるようになった。静岡県立美術館購入評価委員、広島市現代美術館購入評価委員、熱海市立澤田政廣記念美術館設立評価委員、糸魚川市谷村美術館顧問などである。

「一九七〇年代後半以降、アートファンの裾野が広がりました。当時の美術全集ブームがそのことを物語っています。アートファンの受け皿として期待されたのが公立美術館で、地方美術館が相次いで建設されました。これはぼくらにとっても歓迎すべきことだと思いました。しかし蓋を開けてみると、現代美術の画商には厳しい現実が待っていました」

静岡県立美術館の開館に先立って、静岡県出身の実川は購入評価委員に選ばれた。

「購入予算の一割にあたる一億五〇〇〇万円で現代美術を買っていただきたいと意見を述べました。瑛九、山口長男、吉原治良、斎藤義重、大沢昌助、村井正誠、オノサト・トシノブらを想定しました。これらの作家を揃えれば、静岡県立美術館は現代美術が充実した館になると薦めたのですが、君は自分の画廊の売り込みをしているだけだと言われてしまいました」

開館予定の公立美術館は、高くても権威ある作家の作品を買うことに躍起になっていた。すでに名のある作家の作品なら、県議会などから購入の理由を求められた時にも反対されにくいためだ。自由が丘画廊が推した作家たちは現代美術家として確固たる評価を持っていたにもかかわらず、多くの選定委員はどう評価していいかわからなかったのだろう。実川は、日本の美術と美術館の未来を考えていたにもかかわらず、理解されずに委員から降ろされてしまった。

似たようなことはこの前にもあった。一九七六年に開館した熊本県立美術館の購入選定委員だった抽象画家の坂本善三から、納入画廊に自由が丘画廊を推薦されたものの、結局は頓挫するという出来事があったのだ。始まりは、海老原喜之助の代表作《曲馬》の熊本県立美術館への納品に実川が協力したことだった。

「《曲馬》は、もともと久保貞次郎先生がお持ちでした。熊本県立美術館が買いに行くと、『これはすでに実川に売ると約束しているので、実川のところへ行け』と言われたそうなんです。どうしてそういうことになったかというと、ずいぶん前に久保先生のお宅でこの絵を見せられた時に、『ぼくなら一〇〇〇万円で買う』『よし、君が一〇〇〇万円を持ってくるまで待っている』という会話をしたのを久保先生が覚えていてくださったんです。結局、自由が丘画廊が間に入って熊本県立美術館に収めることになり、その仲介の労を取られたのが坂本さんだったというわけです」

それがきっかけとなり、坂本から納入画廊に推薦されたのだ。

「自由が丘画廊にある絵は良い作品ばかりなので熊本県立美術館へ入れたい。その前に熊本で事前の展覧をやってもらいたいと坂本さんから依頼されました。作品を輸送して会を開いたのですが、購入についてはすべて却下されました。運送費だけで一〇〇万円という費用をかけたのに途方にくれました。坂本さんは『美術館は、子孫のために未来を見つめて作品を買うべきである。本日展覧したような絵が将来は必ず必要になる』と熱く説いてくださったのですが、ほかの委員は首を縦に振ることはありませんでした」

それから数年経ったある日、熊本県立美術館にいた学芸員が東京都美術館に異動になり、自由が丘画廊にやって来た。

「東京都現代美術館を創る構想が持ち上がり、あの時の絵が残っていたら全部ほしいと言ってきたのです。熊本での一件はさておき、東京都現代美術館への納入に異存はありませんでした。オノサト・トシノブや靉嘔らの作品を今からみたら格安で売ってしまいました」

一九八〇年代半ばになると、現代美術への風向きが変わってきたのだ。自由が丘画廊をとおして海外の著名作家の大作が相次いで美術館へ入っていくようになる。フォンタナ、ポリアコフというヨーロッパの作家から、リキテンスタインやウォーホル、ウェッセルマン、ニューマンといったアメリカの作家も送り込んでいる。七〇年代、自由が丘画廊で小規模ながら展覧会をやってきた作家たちが美術館に入っていくことは、大きな感慨を実川に与えた。

前衛いけ花作家 中川幸夫

銀座時代に実川がエネルギーを注いで支援した作家に中川幸夫がいる。

幼児期にカリエスを患ったことで、曲がった背中と共に反骨精神を身にまとった類稀ないけ花作家であり、いけ花の範疇にとどまらずに活動した重要なアーティストである。

始まりはひょんなことだった。

ある日、銀座中央通りを歩いていた実川は、松坂屋前で開かれていた古本市をひやかすことにした。本を眺めだしてすぐに、一九七七年に求龍堂から出された『華 中川幸夫作品集』が目に飛び込んできた。

実川が見つけた『華 中川幸夫作品集』は、中川が十年の歳月と心血を注いで完成させた作品集だった。《妖神》《闇》《滿》《火口》《花坊主》《胎》《ひらけない拳》《鬼火》というように一葉ずつにタイトルが付けられた作品写真が全部で六〇点。中川自らが壺中居や繭山龍泉堂などに赴いて借りてきた中国骨董や須恵器、日本の縄文土器や弥生土器などに、誰もが考えつかなかったような組み合わせによって創造したいけ花を、写真家と共に角度や背景を吟味しながら撮影していったものである。みずみずしくも妖艶な美しさは今見ても新鮮で、鬼気迫りくるものがある。

「中川幸夫氏に―狂花思案抄」なる文を寄せた瀧口修造をはじめ、土門拳、棟方志功、芝木好子、篠田桃紅らからの熱心な助言にささえられて完璧主義者の中川が世に出した第二作品集（第一作品集は自費出版）だった。反響は大きく、数々のメディアによって取り上げられ、翌年にはライプチヒの「世界で最も美しい本の国際コンクール」に入賞を果たして中川は歓喜した。しかし、一〇〇〇部印刷した『華』は思うほどは売れなかった。

実川は、以前から中川の才能に注目し、もちろん作品集『華』についても評価していた。古本屋に在庫を確認すると五〇〇冊あるという。実川はすべて買うことにした。

「一九六八年に銀座のいとう画廊で開かれた中川さんの初個展に伺い、中川さんとお話をしたのが最初でした。その頃、ぼくは繭山龍泉堂にかよって、林仙治さんから骨董のことをいろいろ教えてもらっていたのですが、繭山龍泉堂でも何度か中川さんと遭遇しています。中川さんは花をいけるために中国の古い器を借りにいらしていたのです。中川さんのすばらしさに気づいたのは、一九七九年に亡くなった瀧口修造先生の葬儀のときです。瀧口先生の出棺の際には、さほど親しくなかった人までが火葬場へ行こうとマイクロバスに殺到しました。とても乗りきれないと思ってぼくは失礼することにしました。ふと気がつくと、作務衣を着た中川さんが黙々とオリーブの木がある瀧口先生の家の庭をはき清めていたのです。ぼくは、中川さんの姿に感動しました。瀧口先生に対する感謝の念があふれていました」

何がきっかけだったか、中川が銀座の自由が丘画廊へ訪ねてくるようになった。中川は実川に「フォンタナが好きだ」とも語っていたという。そんなある日、中川が自由が丘画廊で展覧会をやりたいと言ってきた。どんな展覧会をやりたいのか尋ねると、「花のエキスを絞り出して熟成させたものから出た色で紙に書いて作品としたい」ということだった。

「中川さんらしいずば抜けた発想で、間髪入れずに提案に乗ることにしました。でも準備を始めてみると、簡単にはいかなかったのです。花のエキスを熟成させた液を入れるのは、大正から昭和初期に造られた瓢簞型ガラス瓶でなければいけないというので、古道具屋に走りました。紙は、中国の北京にある文房四宝の老舗『栄宝斎』の画宣紙がいいということになり、西武百貨店に出店していた店で五〇〇枚を買い占めました。床に敷いて全紙の画宣紙を載せるためのアルミ板を特注しました。最大の難関は、花のエキスを閉じ込めるための海綿でした。三〇センチほどの大きな海綿が必要で、探したけれど東京にはありませんでした。ニューヨークで売っていることを教えてくれる人がいて、スタッフの竹内さんがわざわざ飛行機で買いにいってくれました。三〇センチの海綿を手に入れるためにニューヨークへ飛ぶなんて、今では考えられないことですが、それくらいぼくは中川さんに入れ込んでいたのです」

　第一回展は、「花楽 花に水 中川幸夫展」というタイトルで一九八四年十月に銀座自由が丘画廊で開催された。作品の展示に加えて、中川のパフォーマンスを公開することにした。画廊の床に厚さ一センチのアルミの板を十枚敷き詰めてその上に画宣紙を置き、中川は用意した花のエキスをドリッピングで造形していく。この手法は初めての試みだった。

「中川さんが用意した花のエキスは一見したところ黒くなっていましたが、ドリッピングしていくと不思議なことに元々の花の色が少しずつ滲み出てきました。中川さんはドリッピングの前に一応はデッサンしていたのですが、実際のパフォーマンスのほうがはるかに衝撃的でした。会期中の十月七日に、長年中川さんを支えてきた奥様の半田唄子さんが脳内出血で亡くなり、中川さんは泣きながらパフォーマンスをしていたのです」

「花楽　花に水　中川幸夫展」(1984年)。銀座自由が丘画廊での制作風景　撮影＝安齊重男

半田唄子は福岡の千家古儀の家元だったときに中川のいけばなに出会って惚れ込んで以来、すべてを捨てて十一歳年下の中川に連れ添い、極貧のなかで中川と共に「いけ花」を追求してきた。中川にとってはかけがえのない存在だったのだ。

銀座自由が丘画廊での展覧会は、誰も見たことのない中川のパフォーマンスが評判となってマスコミで取り上げられ、たくさんの観客が訪れた。勅使河原宏をはじめ華道関係者も多かったが、一点七万円の作品《花楽》はほとんど売れなかった。

半田が亡くなってから一月と十三日後に行われた追悼の会の参列者には、中川が編集した「追悼」が配られた。最初の見開きには半田のポートレート、最後のページには《花楽》を細分化した一部が貼られていた。

ちなみに現在では、《花楽》は金沢21世紀美術館や樂翠亭美術館をはじめ複数の美術館に収蔵されている。

「ぼくが古本屋で買っておいた『華 中川幸夫作品集』を中川さんにプレゼントしました。サインをして展覧会などで並べるとよく売れたので、すこしでも収入

銀座自由が丘画廊で開催された「花楽　花に水　中川幸夫展」（1984年）、「無言の凝結体　花　中川幸夫展」（1987年）のカタログ

の足しになればいいと思ったのです」

一九八七年には、二度目の展覧会「無言の凝結体 花 中川幸夫展」を開催した。一万五〇〇〇本もの夥しい数のカーネーションを発酵させて赤黒い粘土のようにしたものが、白い紙の上にさまざまな形となって配置された作品である。暗黒を帯びた赤い粘土には生と死が凝縮され、見た人に壮絶なインパクトを残した。

もうひとつ印象深いエピソードがある。一九八九年に求龍堂より発売された『中川幸夫の花』は、一九七九年から八九年に制作された三四点の「いけ花」の写真で構成されている。そのなかで《弥生》と名付けられた作品は、高さ二〇センチほどの弥生土器に松の枝をいけたもので、人の顔を連想させるユーモラスな印象をもつ。その弥生土器は、中川から請われて実川が貸したものである。

「あの弥生土器はぼくが掘り出したものです。ぼくの田舎の伊豆韮山で山木遺跡の最初の発掘調査が終わって周囲が静かになった頃、ぼくは中学三年生で、一人で川へ行ったら土器が顔を出していて、きれいな状態のものを三つ掘り出すことができました。そのひとつが瓢箪型でわりと気に入っていて、いつも仕事場の机の上に置いていていたんです。中川さんは前から気になっていたみたいで、花をいけるから貸してほしいと言われたのです」

中川による《弥生》は、作品集や単体の作品写真として残されており、現在でも機会があればみることができる。いけ花は、花の生命が終われば姿を消すものである。中川はそのことを痛いほど知り、後世にかたちを残すことを考えたのだろう。作品集や作品写真にすることにものすごくこだわった。写真家に依頼するだけでなく、自らも土門拳に手ほどきを受けた技術を駆使して写真を撮った。

一九九〇年代になって中川は一躍クローズアップされることになるのだが、いけ花作家を超えた前衛アーティストとしての中川に、実川は早い段階から魅せられ、新しい挑戦を応援してきたのだ。

画商という商売を憂ふ

一九八一年に銀座自由が丘画廊のドアを開けた突然の来訪者が、その後、実川の仕事と生活を大きく変えていくことになる。その人物とは、新潟県糸魚川市の建設会社社長、谷村繁雄である。

「谷村繁雄さんは翡翠の製造販売によって一代で財を成した人ですが、それまで一面識もありませんでした。谷村さんは慰霊堂に納めるための仏像を探していました。ぼくは澤田先生を紹介しました。このことがきっかけになり、谷村さんは糸魚川市に一万七〇〇〇坪もの土地を用意し、澤田先生の仏像十体のみを展示する谷村美術館が誕生します。しかも美術館を設計したのは昭和の名建築家で、当時すでに九〇歳という年齢の村野藤吾先生でした。澤田先生との交渉や、美術館を設計した昭和の名建築家村野藤吾先生との折衝をぼくが引き受けたのです」

谷村の意欲は谷村美術館だけで収まらなかった。村野藤吾が谷村美術館のために用意していた他の模型に固執し、新潟市内に中国庭園と蓮の建物のある「天寿園」を造ることを構想した。ところが、天寿園の完成を待たずに谷村は急逝する。残された谷村の妻と長男に「月々一〇〇万円を支払うから会社の顧問になって欲しい」と実川は泣きつかれた。一九八五年のことである。

「当時のぼくは画商の仕事に空虚さを感じ始めていました。一九八五年前後、画商の世界に不動産業と金融業が入り込んできました。バブルの後、フランスで買ったポスト印象派などの代表的絵画を最終的に一番もっていたのは不動産業者と金融業者でした。彼らが参入してきた時に、彼らと手を組んだ画商もいましたが、ぼくはそれができませんでした。『感覚まで金で買うのかよ』という反発心がありました。だから余計にわかりにくい絵を扱うようになった。例えば、ポップ・アートは高くなったからミニマル・アートをやっちゃおうという感覚があったから、ぼくはだんだんと金にならない方向へ傾いていったのです。

画商としての将来を危惧する気持ちもありました。画商は金がいくらあっても足りない商売だし、自死という悲劇的な亡くなりかたをする人が画商には少なくないのです。今と違っ

1986年12月、実川（写真中央）は、パリのポンピドゥー・センターで開催された「前衛芸術の日本 1910-1970」年に出品した李禹煥（写真左）を訪ねた。写真右は現代美術作家の金昌烈　写真提供＝実川暢宏

て画商の地位は低く蔑まれていた商売のひとつでもありました。何よりも銀座の家賃が高額で月々の支払いも大変でした。ぼくが身売りをすれば、月々一〇〇万円入って自由が丘画廊の経営も安定することは確かです。それにもともとぼくは好奇心旺盛で、もっと違うことをやってみたい、自分の可能性を探りたいという助平根性があるんだよね。エイっと思い切って引き受けることにし、週の半分以上は新潟に行くことになったのです」

実川が新潟と銀座を行き来する日々のなかでも、作家や常連客は自由が丘画廊へやってきた。李禹煥や中川幸夫が「実川さん、いる?」と言って扉を開ける。「また新潟へ行っちゃっているんですよね」と答えて、話の相手をするのはスタッフの奥田眞里だった。当時二〇代前半の奥田からみると、実川は髭を蓄えてパイプをくゆらし、若い人の意見に耳を傾ける、上條恒彦みたいなおしゃれで楽しいおじさんだった。

「実川さんがいないと、李さんはすごくがっかりされて、新潟なんか行かないで画商に専念すればいいのにとおっしゃっていました。実際、世間はバブルで現代美術は売れていたんです。実川さんがいる時には、李さんと実川さんは二人で美術について真剣に論じたり、話したりされていました。夕方になると李さんと実川さん、私の三人で新橋の維新號へ行って、李さんがお好きな『セロリそば』を食べたことも何度かありました。李さんは美食家で、『あと〇〇年生きるとして、〇〇食しか食べられないから不味いものは食べられない』とおっしゃっていました。李さんの食べ物の話はすごくおもしろいですよ」

一九八二年春には、誤解が原因で一九七九年頃から交流が途絶えていた山口長男がひょっこり訪ねてきた。

「数時間にわたり山口先生と膝を交えて話し合うことができました。先生の寛大さに心をうたれました。それ以来、小平のお宅へもお伺いできるようになったのですが、先生は一九九三年春に急逝されました。お宅に伺い、拝見した安らかなお顔は、やさしく微笑んでいました。翌年春、ぼくは銀座自由が丘画廊で山口長男展を開き、一九三〇年代のパリ留学時代の作品から一九八三年春の絶筆となった作品まで集められる限り陳列し、先生へのオマージュとしました」


画廊には実川から商売の情報を聞き出してやろうという目的で訪れる狡猾な画商もいた。それをわかっていても、実川は隠しごとができずにすべてを話してしまうので、奥田は何度も歯痒い思いをしている。画商仲間に騙されたことも一度や二度ではない。

「ぼくはね、小さくて珍しいオブジェが好きなんですよ。ミラノにナヴィリオという有名画廊があって、何度か通っているうちにナヴィリオおじさんとも仲良くなった。ナヴィリオおじさんはいつもアンティークの机の前に座っているんだけど、その机にはこまごまとしたオブジェが置かれていて、その様子に憧れていたんです。オブジェの値段を聞くと案外安くて、そこで譲ってもらったり、ほかの画廊や蚤の市でもおもしろいものを見つけては集めて、自分の机の周りに置いたりしていました。知り合いの画商から展示をするから貸してくれと頼まれてごっそり渡してしまったら、それきり戻ってこない。彼は美術館に偽物を納入したりして、評判が悪くてね。一説には、イタリアのマフィアに狙われていたといわれている。ぼくら画商はペテン師なんだから、正直でいるべきなんですよ」

実川が言った「画商はペテン師なんだから、正直でいるべき」という言葉がとても気になり、どういう意味なのか聞いてみた。

「だって、絵の価値って絶対的なものかどうかは、誰にも保証できないでしょう。にもかかわらず、ぼくら画商は作品の値段を決めていく。虚の世界を生きる画商はペテン師なんですよ。ペテン師は正直でいるべきというのがぼくの考え。おもしろがって他人を騙すと、自分に返ってくるし、一度嘘をつくと嘘の上塗りをしなくてはならなくなる。それに、虚にはいろいろなものが渦巻いているから、大きな金が入ってくる時こそ要注意なんです」

現代美術の未来のために

実川は新潟で観光業という新しい仕事に楽しみを見出していった。庭園に加えて、日本で初めての椅子の美術館を天寿園に作っている。新潟でも現代美術を根付かせようともしていた。その頃の天寿園と実川について、現在は新潟市新津美術館館長で、一九九四年まで現代美術を扱う私設美術館「創庫美術館 点」の学芸員だった松沢寿重が、論文「創庫美術館 点――その由緒と事跡」で記している。

天寿園の館長として着任したのは自由が丘画廊（東京）の実川暢宏で、現代美術を専門に扱う画廊主であったことから、創庫美術館 点とは良き近所付き合いの関係を結んだ。天寿園入り口のアプローチに、李禹煥の石と鉄板の大きな作品が置かれてあった往時の風景を、今も印象深く思い出す。

また、1989年12月16日には、この天寿園の大広間を使い、「地方における美術発展の可能性」と題するシンポジウム（パネリスト：本間正義、関根伸夫、林紀一郎、大嶋彰、等々力弘康／司会：実川暢宏）が開催された。

松沢寿重「創庫美術館 点――その由緒と事跡」「新潟市美術館・新潟市新津美術館研究紀」、二〇一六年

実川の天寿園館長としての仕事は一九九四年で終止符が打たれる。バブル経済崩壊による経営難を受けて天寿園の閉館が決まったからだ（その後、天寿園は新潟市によって買い取られて現在も運営されている）。再び銀座に通うようになった実川は、銀座の画廊から活気が消えていることに気づいた。美術市場が冷え込んでいることに加え、バブル期に絵画の価格が高騰し、

その後の不景気で一気に下落したことを受けて、画商に対する不信感が高まっているように感じられた。

「ようやく広がりつつあった現代美術のマーケットも縮小してしまう」。危機を感じた実川は、近しい画廊に働きかけていく。実川が考えたのは、「公開オークションの開催で美術市場を活気づかせよう」ということだった。一九九五年、実川は二一回開催の実績を持ちながら休止していた現代美術オークションを再開させ、社長に就任した。

同時に、交換会「みなみ会」もスタートさせた。南画廊の志水楠男の業績に敬意を示して名付けたという。第一回の交換会は、およそ三〇の画廊が参加し、売上げが一五〇〇万円になったという。二〇二三年現在、みなみ会は現代美術商共同組合と名称を変え、会員一〇〇名の、日本で一番大きな交換会として存続している。実川が撒いた種が育っていたのである。

一方、現代美術オークション株式会社は一年ほどでたたむことになる。小さな組織が手がけるには資金も準備も足りず、時期尚早だったのだろう。

「生きているのだから、新しい可能性が見えたら挑戦しよう。ぼくにはできる、という自惚れがずっとありました。歳と共にひらめきもなくなるし、新しい何かを創り出せるんだという自信が縮んでいく。おれはこの程度の人間かと思った頃に病気になっていったんです」

二〇〇〇年、実川は原因不明の呼吸困難に襲われる。呼吸器機能障害を発症していた。すべてを辞し、二〇〇三年まで六回もの入退院を繰り返した。

友人たちが「実川さんは助からない」と諦めた状況から、実川は奇跡的に回復する。そして療養生活から抜け出しつつあった二〇〇四年、訪れた上海のアートエリア［M50］で気持ちのいい青年と出会った。北海道出身で、当時はM50にあった現代アートの版画工房「Heshan Arts」でアルバイトをしていた鳥本健太である。Heshan Artsを経営する方魏（ファンウェイ）は、自由が丘画廊で修業したのちに帰国し版画工房を成功させていた。つまり、実川と方は師匠と弟子という関係。方の弟子である鳥本は、実川の孫弟子ということになる。

「二〇〇〇年ごろに社会に出たぼくにとって日本は閉塞感がいっぱいで、海外へ飛び出していきました。実川さんが自由が丘画廊を始めた一九七〇年前後は日本もダイナミズムに動き、実川さんたちもスケール感のある仕事をされていた。実川さんは時代の読み方が鋭く、考え方にも影響を受けました」

二〇〇六年、鳥本は上海で現代アートマネジメント会社「office339」を立ち上げ、ビジネスを成功させた。コロナ禍を機に帰国し、office339は現在、休止中だが、熱海の魅力をアートで再発見する「プロジェクト・アタミ」のプログラムディレクターを務めるなど活躍している。そんな鳥本について、実川はある取材でこう語っている。

「ぼくらから上の世代は竹槍をつくらされて『鬼畜米英』とかマジメに考えさせられた。マジメの危うさを僕らは知っている。人間、生きていること自体が『虚』なんだよ。美術も

『虚』。そのムダなことにどれだけ一生懸命になれるか。彼はそこをよくわかっている」

島本もまた、実川の思想は自分の根底に流れている、と言う。画商としての実川の考え方が、孫世代のなかに受け継がれていたのである。


二〇一〇年に近づいた頃から、さまざまな画商が実川の元へ訪ねてくるようになった。すでに画商はやめているのに、「あなたの倉庫を開けてください。一九七〇年代から一九八〇年代に自由が丘画廊で紹介した現代美術の作家の作品が眠っていたら扱わせてください」と頼まれるのだという。

「ぼくはもうないよと言っているんだけれどね」と実川は髭を撫でる。

実川が自由が丘画廊で扱った山口長男、李禹煥、オノサト・トシノブ、斎藤義重、中川幸夫、高松次郎といった日本の現代美術が世界で騒がれ始め、価格が高騰したのである。ポリアコフやデュビュッフェ、ド・スタール、フランク・ステラ、アルマン、フォンタナといった海外の画家の作品も軒並み高くなっている。

「現代美術は魔法になると実川さんが言ったのは当たったね」

二〇一〇年頃、コレクターのKに会うとそう言われたという。実川自身は価格が上がる以前にほとんどの作品を手放している。けれども実川に後悔はない。

「美術品を売ったらそれはもう持ち主のものになる。画商とはそういうもの。美術を資産運用のための投資対象と見る向きもあるけれど、美術はあくまでも趣味であり、遊びの対象だとぼくは思う。作家の成功を一緒に夢見て、絵で遊ぼうというぼくの冒険心に乗ってくれるコレクターたちと出会えたのだから最高に楽しい人生でした」

美術で遊ぶことができて、こんなに楽しい人生はない――。

数えきれないほど聞いた実川のこの言葉は、本音だと思う。実際には大変なことも悔しいこともあっただろうが、そう言い続けることで、人生を悔いのないようにしてきたとも言える。リアリストで切り替えが早いのも実川の特性だ。

いつも朗らかな実川の顔が曇る時がある。前後の話から推測すると、資金も精力も注ぎ込んで応援してきたのに、売れるようになった途端に離れていった作家のことを思い出しているようだ。美術界は弱肉強食の世界なのだから、お金や権力がある方になびくのはしかたない。実川もそのことはわかっている。それでも何かのきっかけに思い出せば、虚しさや寂しさがこみ上げてくる。それはどうしようもない。

「画商という商売は麻薬みたいなもので、楽しくやっていればどこまでも楽しく、苦しめばどこまでも苦しくなる。実態がないし、正体がない。人間がやる仕事のなかでは、極めて珍しい商売だろうね」

実川のその言葉が胸に突き刺さる。

エピローグ　都心の隠れ家に遊ぶ

実川は今、都心の小ぢんまりしたマンションに一人で暮らす。本に囲まれたリビングにはアンティークの机と座り心地の良い椅子が置かれ、壁には本当に気に入った小品が飾られている。アトランのパステル画、ド・スタールのデッサン、イヴ・クラインの裸婦の版画、フリーデンスライヒ・フンデルトヴァッサーのタブロー、森下慶三の水彩、三川義久のオブジェ……。

部屋には気心の知れた美術関係の友人たちがよく訪れる。写真家の北井一夫がふともらした言葉が心に残った。

「実川さんとはときどき会って話したくなる。会わないでいると、実川さんは今ごろ何を考えているのかなって気になるんだよね」

北井のエッセイ「ユズが3個」を読むとその気持ちがよくわかる。

写真を撮っていて行き詰まった時や新しい写真を展開させようという時には、昔から決まって実川さんと話がしたくなるのだった。上海を旅行している時だったろうか、「北井さん、現代アートはバカらしければバカらしいほどいいんですよ。アートはそういうものなんですよ」と実川さんがぽつりと言った。これを聞いた途端に私の頭はものすごいスピードで回転し始めたのだった。

（略）

また、実川さんとの話で忘れられないこんなことがあった。

私が台湾旅行から帰って実川さんに会った時に、「故宮博物院で見た国宝の『白菜』（翠玉白菜、筆者補注）と『豚の角煮』（肉形石、筆者補注）は、何で日常にいくらでもある白菜と豚肉なんですか」と聞いてみた。

見て感動したのだが、それではなぜ白菜と豚肉なのかという不思議さと疑問が消えなかった。

すぐに実川さんは答えて、「ものすごい銘玉に龍や虎を彫ったとしたら、それはどう思いますか。それはどこにでもあるただの彫刻ですよ。めったにない玉を使って白菜と豚肉を彫る。そんなばかなこと誰も考えやしないしやらないでしょう。これこそ芸術なんですよ」と言った。

実川さんという人は何なのだろうか。アートの怪物だろうか。この時私は、写真と実川さんは私の宝物だと思った。

北井一夫『写真家の記憶の抽斗(ひきだし)』日本カメラ社、二〇一七年

実川との会話は確かに刺激的だ。実川は絵に関心を抱きはじめた十代のころから八〇代半ばになった現在も変わらずに、「美術を通して、おもしろいもの、新しいものって何だろう」と考え続け、探し続けることを喜びとしている。実川と会話をしていると、ついついその遊びの世界に引き寄せられて、こちらの脳味噌も動きだしてくる。実川が一九七四年に「流行通信」に書いたエッセイを見てみよう。

「本当に新しい」とはどんなものか、という問いをぼくは絶えず自分にして見る。こういう時に便利なのは友人である。職業柄、ぼくのまわりには、毎日「新しいもの」を創り出そうと苦心している若いアーティストがいる。彼らの意見を拝聴するのも画商の仕事である。聞いた事は利用させていただくというのも職務に忠実だと信ずるので、以下に、当代きっての大型才人である彫刻家S氏の弁を引用に及ぼう。

「……、キャンバスに切れ目を入れて〝空間概念〟とのたもうたルチオ・フォンターナ、便器を展覧会場に運びこんで〝泉〟としゃれこんだマルセル・デュシャン、何もかもブルーに塗装して、芸術として成立させてしまうイブ・クライン、マリリン・モンローのポートレートを印刷して売りまくるアンディ・ワーホール、〝絵画〟を意味のない、た

だの物体と言ったフランク・ステラ。こういう先輩連中のおかげで、こっちは新しいことがやりにくくて仕方がない」。こうのたもうたS氏は、忽ちにして地面に大きな穴ぼこを掘り、その穴ぼこ分の土を隣りに積みあげ、プラス、マイナスセットの土くれを、これぞ「位相空間」なり、と開き直ったから、それからというもの、アーティストは迂闊に穴も掘れなくなってしまった。（略）

「知性」と今言ったが、フォンターナにしてもデュシャンにしても、S氏やL氏にしても、なかなか頭を使い、知恵をしぼって、先人のやらなかった事にいどんでいるのだ。考えに考え、平面や立体や空間で何かを発見して来たのだ。その「新しさ」が現在に生きるぼくらを刺激し、うなずかせ、あるいは考えこませ、未来への可能性を嗅ぎとらせてくれるのだ。そこに喜びがある。

実川暢宏「いま、新しいものは」「流行通信」流行通信、一九七四年

このエッセイのなかで彫刻家S氏、すなわち関根伸夫が言っているように（ちなみにL氏とは李禹煥のことである）、先人がなしえていない新しい試みを発見するために、考え続け、自分を壊しながらもいどみ続けることが現代美術家には突きつけられる。画商や美術愛好者もまた、その作品に触れ、受け入れる際に、同じように自分を壊すことを恐れない勇気や柔らかな脳が求められる。たとえ脳や感受性が硬くなってきても、根気よくわかろうとする先に快

感がある。実川は八六歳になった今もそのことを楽しんでいるのだろう。

美術への果てしない好奇心を縦糸に、哀歓混じった体験と画家やコレクター、友人たちとの会話を横糸に織り込まれた実川の人生は一枚のタペストリーだ。画商という美術の裏方が織り上げたそのタペストリーからは、その時々でさまざまな色が、形が浮かび上がる。時空を越えることができるなら、まだ現代美術が泥臭く、青臭く、純粋な熱気を帯びていた一九七〇年代の自由が丘画廊の扉を開けて、そのなかに入っていきたい。

［寄稿］

むかしむかし、自由が丘という街に自由が丘画廊という画廊がありました。

御手洗照子（t.gallery）

この原稿を書こうとするほんの数週間前、ちょうど当ギャラリーで個展を開催中だった現代工芸家の植松永次さんと食事をしていた。何気なく今、実川暢宏さんという人がやっていた自由が丘画廊の本を出す準備をしているという話をすると、ふっと間が空いて、それって一九七〇年代に自由が丘にあった画廊とちゃう？　と真顔で聞かれた。思わぬ反応にそうだけど〜と返すと、当時二〇歳そこそこで、すいどーばた美術学院に通っていた彼が、そこで教師をしていた抽象版画家の松本旻さんの個展を見に行ったことがあり、華やかな文化人の集まる雰囲気に気圧されて、なかなか中に入れなかった忘れられない思い出があるという。

松本旻さんは当時学生の植松さんの作品を高く評価していて、講評会では周りの人が言い過ぎだと止めるほど褒めてくれていたらしい。普段あまり動じることのない彼が涙ぐむのを見てどんなにそれが彼の励ましになっていたか、またその師の個展をする自由が丘画廊が彼にとって当時どんなに輝かしい場所に見えたかを思った。そしてまた、全く別のところで出会った私の仕事のメンターと敬愛する作家が五〇年も前にそこで言葉を交わすことなく相まみえていた偶然あるいは必然を思い、こちらも熱いものがこみ上げた。

東日本大震災が起こる直前の二〇一一年三月一日、私は港区三田にある小さな路面の店舗を事務所として借りた。中に入ると大通りが近いわりに静かで、北側からの光がやわらかく、ふと憧れていたギャラリー業ができそうだと思いついた。震災後一時は諦めかけたが、初秋にはどうにか展覧会を始める。人がリタイアを考える年頃に始めた羅針盤のない航海である。

数年が経った時、脱サラをして始められた面白いギャラリーが四谷にあると紹介され、行ってみた。そこで数人の熱心なファンに囲まれゲストとして訥々とアートに関する四方山話をしていた方が実川暢宏さんだった。何回か末席で話を聞くうちによく自由が丘画廊という名前が出てくる、どうやら彼こそがそこの主宰者だったらしい。

そして数十年前に在ったというその自由が丘画廊こそ、自由が丘の隣町の学校で美術好きの高校生だった自分が当時憧れていた画廊だった。芸大に行った美術部の先輩がそこでアルバイトをしていて場所は知っていたが、世間知らずの高校生にとっては敷居が高く、時々前を通って先輩がいないかと歩道から中を眺めていた。

そこで語られる当時の美術業界の逸話、著名なアーティストたちの若かりし頃の話など、ユーモアのある穏やかな彼の語り口に夢中になった。何回も話を聞くうちに現代美術史としても貴重なエピソードの数々をどうにかして記録に残しておきたい、自由が丘画廊の存在を、その魅力をどうにか人に伝えたいという気持ちが募り、是非本にしたいと思うようになった。そして知人でライターの金丸裕子さんとお引き合わせした。

その後は金丸さんを交えて何回も実川さんと自由が丘画廊を取り囲んだ人たちにお会いすることになる。

自由が丘画廊ものがたりは、実川さんと李禹煥氏をはじめとする山口長男や駒井哲郎など、当時の前衛アーティストたちとの物語でもあり、そして彼のもとに集まるコレクターたちとの物語でもある。

本文中に十分に語られているが、そしてなかでも、時代と美を見通す目を持ったギャラリスト実川さんと、その目を信じ切って彼のお薦めを買い続け、大コレクターとなった下田賢司さんの物語、いわば二人で生涯をかけて一つの夢、大きな素晴らしいアートコレクションの作成を成し遂げた成功譚でもあるのだ。

普通ギャラリストはなかなか自分の成功を実感することができないという。世に送り出した若いアーティストの成功に、自分の人生が間に合わないということがしばしば起こる。自分の目でそれを見届けることができるのは稀、まさに芸術は人生より長いのだ。

そして経済的にも、成功を収め高額になったアーティストの作品ほど、ほとんど自分の手元には残ってない。魅力的な良い作品ほど早くに人の手に渡っているというわけである。

下田さんの成功は実川さんの成功でもある。下田さんがそれをよく理解し常に実川さんに寄り添っていることで、実川さんはギャラリストとしての自分の目の確かさを目の当たりにする幸運に恵まれたのである。その幸運は実川さんの人柄によるところが大きいのは言うまでもない。

そしてもう一つ、何よりこの物語は自由が丘という場所抜きには語れない。

一九七〇年代〜八〇年代という、戦後が終わり新しい胎動が形になり始めた時代。自由と人との交流を愛する目利きのオーナー、そしてオーセンティックなアートのメッカである銀座から適度に距離を持ち、当時の最先端の前衛、もの派を生んだ多摩美のある上野毛から近く、アーティストやコレクターの多く住む田園調布をバックに控えた都会的な文化の匂いのする街。それら時と人と場所の三つの要素が合体し、化学変化を起こし、自由が丘画廊という魅力的な不思議空間を作り出した。そして時が流れ、実川さんが自由が丘を離れ銀座へ、新潟へと場所を動くといつの間にかその画廊は、魔法の霧が晴れると後には何もなくなるように消えてしまう。まるでひと時の夢だったかのように。

それを考えると実在しない仮想空間で物事が動くことが普通になった現代、逆にますます場所性がクローズアップされていくことになるのも頷ける。


時々アート関係の方と話をしていて、実川さんの名前が出ると、生きていらっしゃるのですか⁉ と驚かれることがある。失礼千万ながら今や巷の一部では彼は伝説の人となっているようなのだ。

あの時、ほとんど表に出ない彼と出会えたことは幸運だったとしか言いようがない。

そしてそんな仙人のような人と多くの時間を共にし、膨大な資料を持久力とエネルギーを持って読み込み、自由が丘画廊をもう一度本の中で蘇らせ、時代の中で務めた役割を客観的に位置付けてくれた金丸裕子さんに心から感謝したい。

自由が丘画廊の物語は、そこに集った人達はもちろんのこと、遠くから眩しく眺めていた人達も含め、それぞれが心の中で自分の物語を紡いで下されば嬉しいと思う。

そしてこの本を読んで初めてその存在を知って下さった方々も、この本の記録、今に残る作品群、アーティスト達をよすがとして、むかしむかし自由が丘というところにあった不思議な画廊の物語に一時思いを馳せて頂ければ幸いである。

あとがき

梅雨の晴れ間に実川暢宏さんを誘い出し、t.galleryを主宰する御手洗照子さんと三人で自由が丘の街を歩いたのは二〇一九年の六月。自由が丘画廊のあった建物は、サンセットアレイというしゃれた名前のついた小路に五〇年前と変わらぬ姿であった。

「今は洋服屋になっているんだね。でも壁や床のレンガは自由が丘画廊のものが使われている。昔のままだね」

実川さんがつぶやくのを聞いて、自由が丘画廊は確かにここにあったのだと確信することができた。

「実川さんからお聞きする戦後の現代美術のエピソードが、とにかく面白いの。私ひとりで聞くのはもったいない。本のかたちで残せないかなといつも思ってしまう。会ってみない?」と御手洗さんから紹介され、二人で実川さんの話を聞くようになってから半年ほど経ったころだった。

御手洗さんの誘いに乗ったのは、長い間興味を抱きながら理解があいまいなままだった現代美術と向き合う好機だと思ったからだ。

　実川さんはいつもくつろいでいる。ある時は鼻歌を歌うような気軽さで、別の時は紙芝居語りのように迫力たっぷりに、自分が出会った現代美術の作家や批評家、画商やコレクターについて語り、時には美術が向かう未来にまで話題を広げてくれた。

『自由が丘画廊ものがたり』のための聞き取りは、大まかには二年ほどで終わっていた。第一稿もできつつあったが、まだ何かが足りない、出口にたどり着いていないという状況がしばらく続いた。そのような折、思いがけないきっかけから、実川さんと写真家の橋本照嵩さんが呑む場に同席させてもらうことが増えていった。橋本さんは、越後の瞽女や北上川を撮った写真で国内外に知られている。

「橋本さんが恵比寿まで来るから、寿司でも食べに来ない？」

　実川さんの誘いにいそいそと応じてマンション近くの大衆寿司屋へ出かける。実川さんと橋本さんは大徳利の熱燗を一本ずつ、時間をかけてあけていく。

「かみさんが亡くなってから、照嵩さんが遊びに来てくれるようになって、照嵩さんから熱燗を呑むことを教わったんだよ」

　杯を重ねるうちに、「自転車で映画のフィルム運びをしていたんだよ」とか、「岡鹿之助の偽物を持ってきた人がいてね」といった、まさしく寝耳に水のエピソードが飛び出すことが一度ならずあった。思いがけず名言が飛び出し、忘れないように帰りの電車の中でメモをとったことも多々ある。その一つがこれ。

「画商にも目がいい人、鼻が利く人、耳がいい人というのがいるんだよね。洲之内徹さんはとても鼻が利く人だった。恐ろしく勘がいい。耳がよかったのは窪島誠一郎さん。情報を自分のものにして生かすことができる。窪島さんも夭折した画家や戦死した画学生を追いかけるということで洲之内さんと重なるね。窪島さんは長野の上田に『無言館』をつくる以前の若い頃、画廊を経営していてよくうちに来ていたんです。ぼく？　ぼくはたまたま目がよかったのかな」

実川さんは、自分のことはおどけながら言ったのだが。

二〇二二年五月、橋本さんの写真展「越後の瞽女」が新潟県南魚沼市の池田記念美術館で開催されることになり、実川さんは写真家の北井一夫さんやコレクターの下田賢司さんらと総勢十名近くで駆けつけている。その展示はアートスペース シモダ所蔵の二三一点を公開したもので、北井さんはこの展示について「照嵩さんが撮った越後の瞽女さんとその風景はすでに日本から消えてしまったけれど、コレクターの下田賢司によって収蔵されることで、この人たちと懐かしい村の風景は芸術作品として永久に保存され残る」という趣旨のことを新潟日報に記している。

どんなことも遊びにしてしまうのが実川さんたちである。池田記念美術館で写真展を観たあとも魚沼の老舗旅館に宿泊をしてのんびりするのだという。わたしは別の宿に泊まり、翌日午後二時から美術館で行われる橋本さんのギャラリートーク会場で実川さんたちと会う約束をしていた。ところがなかなか現れない。時間ぎりぎりにやってきた理由をあとで聞くと、実川さんが「旅館から車で四、五〇分のところに小栗山木喰観音堂がある。ここまで来たら木喰さんを観なくちゃいけない」と言い出し、車で険しい山道を登り、みんなで行ってきたのだという。木喰とは、江戸時代後期に全国を旅しながら微笑仏と呼ばれる木造の仏様を彫り続けた木喰上人のことで、新潟には木喰仏を祀る場所が複数あって、それを目的に訪れる人もいるのだという。

後日、実川さん、橋本さんと会うと、実川さんの木喰ブームは依然続行中だった。「木喰は柳宗悦が紹介して有名になったんです。すごかったですよ」と、いくら語っても語り足りない様子。横に座り話を聞いていた橋本さんまで「全国まわって木喰仏を撮りたいなぁ」と夢を追いかけはじめている。

八〇代半ばになっても、同行者に山の上の小栗山木喰観音堂まで行きたいと思わせ、写真家に木喰仏の写真を撮りたいという気持ちにさせる実川さんの好奇心と先導力を目の当たりにして、こちらまで興奮を覚えた。

実川さんには周囲を巻き込む力がある。そのリアリティの一方では、現代美術をとおして自由という知的冒険をし続け、夢を追い続ける側面がある。しかもその知的冒険の答えは一つではない。永遠に考えることを楽しんでいる。そういった幅広い思考をする人だから、近くにいると刺激を感じるのだ。
現代美術市場が急成長し、投機対象となっている状況をどこ吹く風と笑って見ている実川さんも清々しい。現代美術の価値が「金」だけではないことを教えてくれるからである。

どのような問いにも好奇心をもってオープンに答えてくれた実川暢宏さんなしにはこの本はありえなかった。その実川さんと引き合わせ、本づくりを支えてくださったのは御手洗照子さんである。お二人には心から感謝する。貴重なお話を快く聞かせてくださった李禹煥さん、谷川晃一さん、浅川邦夫さん、そして惜しみない応援をしてくださった下田賢司さん、本当にありがとうございました。静岡県立美術館学芸員の川谷承子さんが二〇〇九年にまとめられた論文「画廊とコレクター　実川暢宏氏へのインタビューを通してみる1960～80年代前半の画廊と作品収集の現場」はさまざまな手がかりにさせていただき、また、川谷さんには今回、査読でお世話になった。寺田侑さんと実川さんの『現代美術 夢むだ話』も参考にさせていただきました。平凡社の日下部行洋さんは細部にわたって相談に乗ってくださり、本書を刊行へと導いてくださった。この四年間に出会ったたくさんの人々に感謝しつつ。

金丸裕子

［自由が丘画廊 展覧会記録］

1969年 有島生馬先生名作展（11月22日〜12月5日）

1970年 澤田政廣展（10月17日〜11月10日）

1971年 駒井哲郎展

1972年 セルジュ・ポリアコフ展
大沢昌助展
相笠昌義展
磯辺行久展

1973年 ジャン・デュビュッフェ展
ウィフレッド・ラム展
ニコラ・ド・スタール展（9月24日〜10月13日）
ヴォルス展
エンリコ・バイ展
駒井哲郎展（10月29日〜11月17日）

1974年 セルジュ・ポリアコフ展（2月1日〜28日）
リン・チャドウィック展（5月1日〜19日）
フランク・ステラ展（9月16日〜10月15日）

1975年 フェルナンド・アルマン展（6月24日〜7月13日、ギャラリーバルールでも個展）
駒井哲郎展（カタログ発行11月15日）

1976年 トム・ウェッセルマン展（4月20日〜5月16日）
オクヤナオミ展（カタログ発行9月3日、ギャラリーバルールでも個展）
マリオ・チェロリ展（10月26日〜11月14日、ギャラリーバルールでも個展）

1977年 エンリコ・カステラーニ展（6月1日〜19日）
ルチオ・フォンタナ展（カタログ発行10月1日）
ニコラ・ド・スタール展（3月30日〜4月30日）

1978年 窓ごしに…：マルセル・デュシャン小展示（1月10日〜29日）
大沢昌助 水彩・コラージュ展（カタログ発行5月20日）

1979年
ピエロ・マンゾーニ展
森下慶三 想像の風景
オブジェ 100展

1980年
コラージュ展（カタログ発行3月22日）
Hommage à Komai 駒井哲郎1920-1976（5月23日～6月15日）
1950・60年代の展覧会—フォルムを超えて—（10月10日～26日）
オノサト・トシノブ—○型カンヴァスによる新作展（11月8日～30日）

1981年
ルチオ・フォンタナ展（5月20日～7月25日）
駒井哲郎展 銅版画 モノタイプBook works（11月16日～12月12日）
1960年代展

1982年
オクヤナオミ展（9月20日～10月9日）
三川義久（11月10日～12月14日）

1983年
駒井哲郎のアトリエ展
瀬島好正展—油彩100号-5点による（5月9日～28日）
村上友晴展（12月2日～24日）

1984年
山口長男展—未発表作品を含んで—（2月6日～18日）
齋藤寿一展—「宙'84」反核への証し—（6月6日～16日）
花楽 花に水 中川幸夫展（10月1日～13日）
三川義久展（12月3日～13日）

1985年
オクヤナオミ展（4月8日～20日、10月7日～26日）
瀬島好正展2（10月7日～26日）

1986年
寺尾悦示展—彩釉裂シリーズより—（4月7日～19日）
無言の凝結体 花 中川幸夫展（3月13日～28日）

1987年
三川義久展（4月17日～5月20日）
瀬島好正展3（10月12日～24日）

1989年
三川義久展（カタログ発行12月18日）

1991年
三川義久展（3月29日～4月3日）

＊川谷承子「画廊とコレクター」『静岡県立美術館紀要』（2009年）ならびに自由が丘画廊企画展カタログをもとに構成

金丸裕子　かなまる　ゆうこ

茅ヶ崎生まれ。法政大学卒業後、考現学を手法にしたコンサルティング会社勤務を経て、ライター・編集者となる。取材と文章を担当した本に『東京考現録』『カコちゃんが語る植田正治の写真と生活』『黒田泰蔵 白磁へ』、編集書に『向田邦子の本棚』『開高健の本棚』などがある。

【お問い合わせ】
本書の内容に関するお問い合わせは
弊社お問い合わせフォームをご利用ください。
https://www.heibonsha.co.jp/contact/

自由が丘画廊ものがたり
——戦後前衛美術と画商・実川暢宏

二〇二三年一〇月二十五日　初版第一刷発行

著者　金丸裕子
発行者　下中順平
発行所　株式会社平凡社
〒一〇一-〇〇五一　東京都千代田区神田神保町三-二九
電話　〇三-三二三〇-六五七三（営業）
平凡社ホームページ　https://www.heibonsha.co.jp/

デザイン　松田行正+杉本聖士
印刷・製本　中央精版印刷株式会社

ISBN 978-4-582-27337-3